Cuisine des 7 familles

La cuisine thaïlandaise

La cuisine thaïlandaise

Sirikit Thaï

Reportage photo

Jean-Marc Wullschleger

Photographies des recettes

Valéry Guedes

Stylisme des recettes

Natacha Arnoult

Soupe de poulet de Punk p. 26

Poulet au cari vert de Hum p. 54

Riz au lait de coco de Miou p. 70

Entremets au lait de coco de Crock p. 84

Petits calmars farcis de Wan p. 100

Canard sauté au basilic de Subine p. 116

Sommaire

Je m'appelle Punk. Je vis avec ma famille dans une ferme à Khao Cha Kan, dans l'est de la Thaïlande, près de la frontière du Cambodge. Avec d'autres exploitants, je suis à l'origine de la création de la coopérative agricole du village, il y a trois ans de cela ; aujourd'hui, j'y travaille comme comptable. J'écris de mon bureau, parce que c'est là que je passe la plus grande partie de mon temps, mais cette activité me plaît : elle m'a permis de rester proche des miens et de leurs préoccupations sans travailler avec eux, car je n'aimais pas beaucoup l'agriculture !

Punk, la mère

Mon mari, Hum, est un peu plus jeune que moi. Lui est resté à la ferme, dont il s'occupe avec mes parents, qui y vivent toujours. Ils y cultivent quantité de fruits – ananas, melons, mangues, papayes. La province de Sakaeo, bien irriguée, est réputée pour ses fruits dans tout le pays. Mais c'est le riz qui constitue encore l'essentiel de la production de la ferme. Depuis que nous sommes en coopérative, on en obtient un bien meilleur prix, et un tracteur a amélioré notre rendement.

Hum, le père

Subine, le grand-père

Quand il était enfant, Subine, mon père, aidait déjà le sien à travailler le riz : c'est dire son expérience en riziculture ! À son époque, on cultivait le riz sur brûlis, sans engrais. Mais c'était une culture itinérante, qui obligeait à changer de terrain au bout de deux ou trois ans et à trouver un autre bout de forêt à brûler. À 68 ans, mon père n'imagine pas de s'arrêter de travailler. À la ferme, il s'occupe surtout des arbres fruitiers : le repiquage du riz, c'est quand même trop dur à son âge.

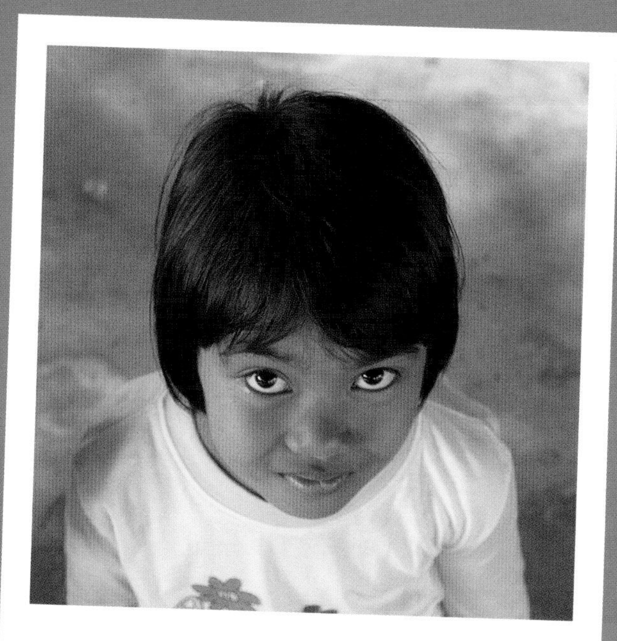

Miou, **la fille**

Miou est l'aînée de nos deux enfants. À six ans, c'est déjà une vraie petite femme, vraiment coquette, d'autant plus qu'au village, elle a beaucoup plus de cousins que de cousines, au milieu desquels elle joue la vedette. « Quand je serai grande, je serai élue Miss Songkran à la fête du Nouvel An », répète-t-elle chaque année en voyant défiler la reine du jour. Pour le moment, elle quitte peu sa grand-mère, qu'elle aime beaucoup et qu'elle aide aux tâches ménagères. Mais l'année prochaine, quand elle aura sept ans, Miou ira à l'école, comme tous les enfants de Thaïlande, et portera un bel uniforme.

Mon petit garçon respire la joie de vivre : au village, Crock est le plus espiègle de toute sa bande de cousins. Souvent fourré dans les jambes de son père, il donne un coup de main aux travaux de la ferme quand il le peut, mais c'est surtout pour montrer qu'il est grand et fort ! Ce qu'il préfère, c'est s'occuper des animaux. Plus tard, pourtant, il ne veut pas être agriculteur ; il rêve pour le moment d'aviation, comme bien des petits garçons de son âge.

Crock, **le fils**

Wan, **la grand-mère**

C'est grâce à ma mère, Wan, que j'ai pu participer à la création de la coopérative et prendre ce travail de comptable : pendant que je suis au bureau, elle s'occupe à la fois des enfants et de toute la maison, tout en continuant à aider à l'exploitation. Elle a l'habitude d'être partout à la fois, car elle a toujours énormément travaillé. J'aime ce qu'elle me transmet et qu'elle tient elle-même de sa mère, qu'il s'agisse de l'art de confectionner des bouquets, très important en Thaïlande, ou de la cuisine, qu'elle fait merveilleusement bien.

Notre village est au coeur de la végétation.

Vingt-cinq personnes, nous sommes vingt-cinq aujourd'hui à déjeuner ! Heureusement, ma mère est là... C'est aujourd'hui le premier jour du Nouvel An, et toute la famille se regroupe chez nous, ce qui, en comptant les enfants, représente une bonne partie du village.

À Bangkok et dans les grandes villes, Songkran, le Nouvel An thaïlandais, donne lieu à trois jours fériés, mais moi, à la coopérative agricole, je n'ai qu'une journée libre. Hum, mon mari, et mes parents, qui travaillent à la ferme, ne s'arrêtent que très peu également.

Wan, ma mère, s'est levée de bon matin pour s'occuper du repas. Au menu, un beau *pad*, notre plat national, préparé avec du poulet de la ferme, des nouilles de riz, du soja, des crevettes séchées, des oignons verts, du chou et de l'ail, le tout accompagné d'une sauce sucrée-pimentée : un délice !

Tous les éléments du plat sont déjà prêts : ma mère les fera juste sauter au moment de servir. Son wok, qu'elle manie avec dextérité au-dessus du feu de bois, a beau être grand, il lui faudra y cuire

Wan est une cuisinière hors pair !

le *pad* en trois fois, tellement nous serons nombreux ! Pour la circonstance, elle a aussi préparé quantité de petits hors-d'œuvre : brochettes de poulet saté, salades épicées, bouchées aux piments et aux arachides... Et avec les enfants, elle a préparé des desserts à la banane, au coco et aux feuilles de *baï theoy*, toujours réservés aux grandes occasions en Thaïlande.

En attendant, au village, tout le monde s'asperge d'eau en signe de purification, pour bien débuter l'année nouvelle. Songkran tombant au plus chaud de la saison sèche, cette coutume est suivie d'autant plus volontiers qu'elle donne l'occasion de se rafraîchir... Les enfants ne sont pas les derniers à arroser tout ce qui passe, ils en font un jeu joyeusement ponctué de grands éclats de rire. La plus jolie fille de Khao Cha Kan vient d'être élue Miss Songkran, une tradition immuable du Nouvel An, jusque dans les plus petits villages du district.

L'après-midi, nous partons tous en promenade, d'abord pour le parc animalier de Chong Klambon, à une vingtaine de kilomètres de Khao Cha Kan. Je voulais retourner admirer les cascades du parc national de Pang Sida, comme l'an dernier, mais les enfants veulent absolument voir des animaux. Des paons aux couleurs inimaginables, des singes et des ours, des toucans et des calaos au bec gigantesque vivent ici, au milieu d'une nature luxuriante ; dans l'écloserie, les oisillons, déjà de belle taille, sont adorables. C'est la reine qui a tenu à créer cette réserve, il y a quelques années,

dans une des régions les plus préservées du pays. À l'écart de Bangkok et des côtes envahies de touristes, la province de Sakaeo, essentiellement agricole, est vierge de toute pollution ; le riz de notre coopérative a d'ailleurs été certifié biologique l'an dernier, et, depuis, il se vend facilement à l'exportation.

Nous voici maintenant en route pour Aranyaprathet, à la frontière du Cambodge. La ville est environnée de magnifiques temples khmers, mais nous ne sommes pas là pour les visiter. C'est un marché unique en Thaïlande qui nous a fait venir jusqu'ici, le Talaat Rong Kleua, qui étale ses innombrables boutiques tout près de la frontière. Il est plus cambodgien et vietnamien que thaïlandais, et on y trouve de tout : vêtements, bijoux, ustensiles de cuisine, alcools et même des denrées alimentaires – épices, crevettes et poissons séchés. La vie étant beaucoup moins chère au Cambodge, les prix nous paraissent très bas, ce qui explique que les Thaïlandais viennent de loin au Talaat Rong Kleua.

Le marché regorge de bons plats.

Il me semble d'ailleurs que le marché s'étend de plus en plus, année après année, depuis que le Cambodge est en paix. Du temps de mes parents, la guerre chez nos voisins rendait la région peu sûre, en raison des trafics illégaux qui se faisaient avec les partis en guerre.

Je crois que je vais faire une provision de crevettes séchées : Maman aime beaucoup en mettre dans le *pad* thaï.

Hum est parti de son côté pour l'autre attraction d'Aranyaprathet : le casino. Ou plutôt les casinos, car la ville n'en compte pas moins de sept, plus un en construction ! Officiellement, les jeux de hasard sont interdits dans le pays, mais ici, entre Cambodge et Thaïlande, nous sommes dans une sorte de *no man's land*, et des hommes d'affaires thaïlandais en ont profité pour faire fortune... Je ne voulais pas que Hum y aille, mais il m'a promis de ne pas se ruiner ; il n'a d'ailleurs pris que très peu d'argent sur lui.

Nous dînons en nous promenant parmi les étals. Comme dans tous les marchés, il y a quantité de vendeurs de nourriture ambulants qui proposent brochettes de volaille, crevettes et boulettes de poisson frites, nouilles sautées, porc au basilic bien pimenté : ici, dans la rue, on peut manger de tout et à toute heure. Les Thaïlandais ne s'en privent pas, et les touristes sont toujours étonnés de nous voir grignoter tout au long de la journée. Mais, en réalité, nous mangeons de petites quantités. Et comme notre cuisine est très saine, riche en légumes et pauvre en sucres et en graisses, les gros sont rares chez nous : le hamburger ne nous a pas encore envahis !

Les moments en famille sont toujours très gais !

Demain, la fête continuera à Sa Kao : la foire aux melons, qui marque le début de la récolte, tombe cette année juste après le Nouvel An, parce qu'il a fait chaud et que les fruits ont été assez précoces.

Je retournerai à la coopérative, mais Hum et mes parents iront à Sa Kao présenter les plus beaux produits de la ferme et, bien entendu, les melons, qui se prêtent particulièrement bien à la décoration. Mon père est très adroit pour les transformer en fleurs ou en animaux ; il a appris la technique avec l'un de ses amis cuisiniers dans un grand hôtel de Chon Buri. Il y a deux ans, il a même eu le premier prix pour un melon sculpté en oiseau, avec toutes ses plumes.

La cuisine thaïlandaise,
c'est aussi un art décoratif !

Les 6 ustensiles de la cuisine thaïlandaise

Le wok

D'origine chinoise, le wok est répandu dans tout l'Extrême-Orient depuis longtemps. Les premiers woks thaïlandais étaient faits de terre cuite ; les ustensiles en laiton sont apparus ensuite. Munis d'un manche ou de deux poignées, les woks d'aujourd'hui sont en acier, en fonte ou en aluminium, éventuellement recouverts d'un revêtement antiadhésif. À la fois faitout, poêle, sauteuse, friteuse, le wok est l'ustensile universel par excellence. Il faut le choisir de grande taille, car s'il est facile de préparer une petite portion dans un grand wok, il est impossible de cuisiner un grand plat dans un petit.

La planche à découper

Pas de bonnes découpes sans une bonne planche ou un billot. Confectionnée en bois dur, la planche doit être de bonne épaisseur pour ne pas se déformer et supporter le choc du hachoir. Les planches et les billots constitués d'un assemblage de bois debout sont d'une remarquable robustesse et d'une grande longévité, mais ils pèsent assez lourd. À la fois esthétiques, légères et très résistantes, les planches en bambou sont idéales pour les nombreuses découpes de la cuisine thaïlandaise. Il faut toujours laver les planches à découper à la main, jamais en machine.

Le mortier et le pilon

Toutes les pâtes de la cuisine thaïlandaise – pâte de crevettes, cari et *nahm prik* – sont préparées dans un mortier, les épices y sont moulues, l'ail, l'oignon et les herbes y sont écrasés... C'est dire si cet ustensile est important ! Les mortiers traditionnels étaient faits en terre cuite, et les pilons étaient en bois, mais les mortiers et pilons en pierre, principalement en granit, les ont remplacés presque partout. Les meilleurs robots électriques ne remplaceront jamais un bon mortier, car ils chauffent les aliments et ne donnent pas du tout les mêmes résultats.

Les couteaux et hachoirs

Ce sont des ustensiles essentiels, puisque presque tous les aliments sont finement émincés ou hachés, ce que ne peut pas faire convenablement un hachoir électrique. Si les épluchages se font à l'aide d'un petit couteau, les découpes et les hachages sont réalisés avec de grands couteaux à lame épaisse, voire des hachoirs. S'il est de bonne taille, un couteau traditionnel permet de hacher viandes et poissons sans difficulté, et s'il est suffisamment bien aiguisé, un hachoir permet de réaliser les découpes les plus fines. Bien des cuisiniers travaillent d'ailleurs avec un seul outil, couteau ou hachoir.

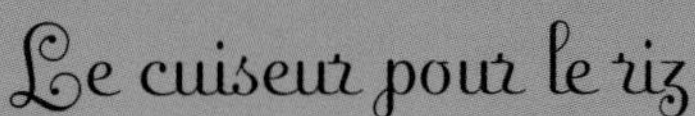

Le cuiseur pour le riz

En Asie, qui n'a pas de cuiseur à riz à la maison ? En quelques dizaines d'années, cet appareil venu du Japon a conquis les foyers thaïlandais comme ceux du Vietnam ou de Chine... Le cuiseur pour le riz, comme on l'appelle souvent, ne fait que du riz, mais il le fait très bien. Et surtout, l'appareil garde le riz au chaud après l'avoir cuit, pendant des heures s'il le faut, le tout de manière totalement automatique : il suffit de remplir la machine de riz et d'eau, d'appuyer sur le bouton et on peut partir travailler à l'extérieur, on retrouvera du riz prêt et tout chaud en rentrant : idéal pour les femmes actives !

Le panier-vapeur

De toutes tailles, les paniers-vapeur en bambou permettent de cuire très sainement toutes sortes d'aliments. Ceux que l'on peut superposer doivent être bien adaptés à la taille de la casserole ou du faitout, mais on peut aussi disposer un panier-vapeur (ou plusieurs petits) dans la partie supérieure d'un couscoussier. Pour que rien n'attache dans le panier, il convient d'étaler quelques feuilles de salade dans le fond avant d'y disposer les aliments à cuire, ou bien d'envelopper ces mêmes aliments dans un torchon propre.

Les 6 ingrédients de la cuisine thaïlandaise

Herbes aromatiques

Elles tiennent une place importante dans la cuisine de la Thaïlande, qu'il s'agisse d'aromatiser les bouillons, les salades ou certains currys. Le basilic, dont il existe plusieurs variétés, est une des herbes les plus prisées ; avec son odeur anisée et son goût de réglisse, le basilic thaï, le plus employé, est très différent du basilic européen. La coriandre est utilisée intégralement, les feuilles dans les salades, les tiges dans les bouillons et les racines dans les pâtes de cari. La citronnelle parfume les soupes avec son bulbe et les bouillons avec sa tige. Le limettier kaffir est, non pas une herbe, mais une sorte de citron vert qui parfume de nombreux plats. Quant au galanga, c'est un rhizome équivalant au gingembre.

Piments

Ce sont souvent les souvenirs culinaires les plus marquants... Les piments thaïs sont variés : parmi les plus courants, les piments-bananes de couleur jaune-vert sont plutôt doux, les piments longs, rouges ou verts sont assez forts, surtout les verts, et les petits piments-oiseaux sont très aromatiques mais terriblement forts. Les piments-oiseaux verts constituent la base des caris verts, les plus relevés de la cuisine thaïlandaise. Enlever les pépins des piments leur ôte un peu de leur force sans diminuer leur parfum.

Riz

Il n'est pas exagéré de dire que la Thaïlande vit de son riz, cultivé depuis des millénaires. Aliment de base, symbole de vie et de prospérité, il est aussi la principale exportation du pays. Le riz jasmin au long grain est aujourd'hui le préféré des Thaïlandais et de loin le plus cultivé. Dans la plus grande partie du pays, Il a pris la place du riz gluant, encore cultivé dans le Nord, que l'on n'utilise pratiquement plus que pour les desserts. Traditionnellement cuit à la vapeur dans un panier de bambou ou à l'eau dans un pot en argile, le riz est souvent préparé aujourd'hui au cuiseur électrique, avec lequel il est difficile de rater la cuisson.

Crevettes

Les crevettes sont très abondantes sur les côtes de la Thaïlande, et depuis une dizaine d'années, l'élevage des grosses crevettes s'est considérablement développé. Fraîches, les crevettes sont rôties, sautées, frites, cuites à la vapeur ou ajoutées aux soupes. Séchées pour mieux se conserver ou réduites en pâte au terme d'une longue fermentation, elles entrent dans la composition des *nahm prik*, des condiments au goût incomparable qui donnent tout son caractère à la cuisine thaïlandaise.

Nuoc-mâm (sauce de poisson)

Traditionnellement préparé avec du poisson ou des crevettes, le *nuoc-mâm* est un élément indispensable de très nombreuses recettes. L'odeur prononcée et le goût âcre de cette sauce de poisson (quand elle est goûtée seule) se marient très bien avec les autres ingrédients des recettes qu'elle rehausse sans les masquer. Encore plus corsée, la sauce de poisson fermentée n'est plus guère consommée que dans le nord-est du pays. L'odeur forte de la sauce de poisson la rend un peu délicate à préparer chez soi, mais les produits du commerce, en bouteille, sont en général de bonne qualité.

Noix de coco

Pour les desserts comme pour les plats salés, la noix de coco est un ingrédient indispensable de la cuisine thaïe. On utilise la chair râpée ou coupée finement, et surtout le lait et la crème de coco pour de nombreuses recettes. La crème de coco en boîte est pratique, mais celle préparée à partir d'une noix fraîche est bien meilleure. Il faut râper ou mixer la chair, la faire infuser dans de l'eau bouillante et presser fortement le mélange dans un torchon. Le liquide obtenu se sépare ensuite en lait de coco et en crème de coco, extraordinairement onctueuse et parfumée.

Punk
La mère

Si j'étais... une couleur,

je serais le blanc de la crème de coco, aussi pur que du coton.

Si j'étais... une odeur,

je serais celle de la citronnelle, aussi délicate et subtile
que la saveur qu'elle donne aux plats.

Si j'étais... une saveur,

je serais celle du citron vert, indispensable à l'équilibre de nos plats,
auxquels il donne une saveur unique.

Si j'étais... un ustensile,

je serais une feuille de pandanus,
pliée pour en faire une petite coupelle.

Si j'étais... un souvenir gourmand,

je serais notre pique-nique sur la plage,
la première fois que Hum m'a emmenée à la mer.

Si j'étais... un péché mignon,

je serais un ananas frais, que l'on vient juste de cueillir,
avec une pincée de sel et de piment dessus.

Il n'y a pas plus simple que cette salade. Nous préparons tous les fruits de mer ainsi, juste plongés quelques instants dans l'eau bouillante pour qu'ils cuisent sans durcir, en restant souples et fondants.

Salade de crevettes à la citronnelle

yam ta krai

Préparation : 15 minutes Cuisson : 1 minute Pour 4 personnes

600 g (1 ¼ lb) de crevettes crues
3 échalotes rouges
1 tige de citronnelle
2 feuilles de limettier kaffir, finement ciselées
2 c. à soupe de menthe ciselée
2 c. à soupe de coriandre ciselée
sel

Pour la sauce

2 ou 3 petits piments (selon le goût)
3 c. à soupe de jus de citron vert
3 c. à soupe de sauce de poisson (nuoc-mâm)
¼ c. à café (¼ c. à thé) de sucre en poudre
1 pincée de sel

- Préparez la sauce. Lavez et séchez les piments, épépinez-les et hachez-les finement. Dans un bol, délayez le sucre et le sel avec le jus de citron, puis ajoutez la sauce de poisson et le piment. Mélangez et réservez.
- Rincez les crevettes à l'eau fraîche, retirez les têtes, décortiquez les queues en conservant l'éventail et ôtez la veine noire du dos. Plongez-les 1 minute dans une casserole d'eau bouillante légèrement salée, puis égouttez-les. Laissez tiédir.
- Coupez le vert de la tige de citronnelle pour ne conserver que la partie blanche. Hachez-la finement. Épluchez les échalotes, émincez-les en fines lamelles.
- Dans un plat ceux, mélangez les crevettes avec la menthe, la coriandre, les feuilles de limettier, la citronnelle et les échalotes. Arrosez-les de sauce et servez immédiatement.

Le riz est la base de nos repas : il est toujours présent à table, et ce sont plutôt les plats qui l'accompagnent que l'inverse. Il n'est jamais salé à la cuisson, car nous le mangeons avec des sauces et des assaisonnements suffisamment relevés.

Riz à la vapeur

kao suay

Préparation : 5 minutes Cuisson : 20 minutes Pour 6 à 8 personnes

500 g (1 lb) de riz jasmin à grain long

- Versez le riz dans un grand bol d'eau froide et brassez-le lentement avec la main, les doigts légèrement écartés. Égouttez-le dans une passoire. Renouvelez l'opération quatre ou cinq fois, jusqu'à ce que l'eau soit parfaitement claire.
- Mettez le riz dans une casserole, recouvrez-le d'eau à 2,5 cm (1 po) au-dessus des grains et amenez à ébullition. Faites cuire environ 5 minutes à feu vif, jusqu'à ce que toute l'eau soit absorbée.
- Quand la surface du riz commence à se fissurer, baissez le feu autant que possible, couvrez la casserole et poursuivez la cuisson pendant encore 15 minutes : le riz va finir de cuire dans la vapeur qui se dégage.
- Retirez du feu et laissez reposer 5 minutes.

Travers de porc grillés à la sauce de haricots jaunes

gradook muu nueng tao jeaw

Voici encore une recette qui nous vient de la cuisine chinoise, mais où l'on retrouve les saveurs caractéristiques des plats thaïlandais. Cuits à la vapeur, les travers se conservent quelques jours au frais : il n'y a plus qu'à les faire griller au dernier moment.

Préparation : 15 minutes
Marinade : 12 heures
Cuisson : 1 h 05
Pour 4 personnes

1 kg (2 lb) de travers de porc coupés en morceaux de 6 cm (2 po)
160 ml (2/3 tasse) d'eau

Pour la marinade

2 gousses d'ail
2 à 4 petits piments (selon le goût)
2 cm (1 po) de gingembre frais
2 racines de coriandre
4 c. à soupe de sauce de haricots jaunes
1 c. à café (1 c. à thé) de pulpe de tamarin
1 c. à soupe de sauce soja
2 c. à soupe de sauce de poisson (nuoc-mâm)
1 c. à café (1 c. à thé) de sucre de palme ou de sucre brun

- Épluchez les gousses d'ail et le gingembre. Grattez et lavez les racines de coriandre. Épépinez et émincez les piments. Écrasez ensemble ces ingrédients à l'aide d'un pilon et d'un mortier pour obtenir une pâte épaisse.
- Délayez la pulpe de tamarin dans 1 cuillerée à soupe d'eau très chaude.
- Dans un plat creux, réunissez la pâte d'ail, le tamarin, le sucre, la sauce de haricots jaunes, la sauce de poisson et la sauce soja. Mélangez, puis posez les morceaux de travers dans cette marinade et retournez-les plusieurs fois pour bien les en enrober. Couvrez d'un film transparent, mettez au réfrigérateur et laissez mariner 12 heures.
- Le lendemain, égouttez bien les morceaux de porc et faites-les cuire 1 heure à la vapeur.
- Mélangez la marinade et l'eau dans une petite casserole, amenez à ébullition et laissez mijoter 5 minutes à petits frémissements. Filtrez cette sauce à travers une passoire fine.
- Allumez le gril du four (ou préparez le barbecue). Quand la résistance est bien rouge, posez les morceaux de travers sur la grille et faites-les cuire 4 à 5 minutes, en les retournant souvent et en les badigeonnant de sauce.
- Servez chaud, avec le reste de la sauce dans un bol.

Quand je trouve de tout petits calmars au marché, je les laisse entiers, avec leurs tentacules. Je n'ai qu'à les faire revenir rapidement avec deux poivrons du jardin et nos assaisonnements traditionnels pour que tout le monde se régale.

Calmars sautés aux poivrons

pla muk pat bai krapao

Préparation : 20 minutes Cuisson : 5 à 6 minutes Pour 4 personnes

600 g (1 1/4 lb) de calmars nettoyés
2 c. à soupe d'huile d'arachide
5 gousses d'ail
2 poivrons verts
1 ou 2 piments (selon le goût)
1 c. à soupe de sauce de poisson (nuoc-mâm)
2 c. à soupe de sauce aux huîtres
1 c. à soupe de sucre en poudre
2 c. à soupe de feuilles de basilic thaï

- Lavez soigneusement les calmars à l'eau fraîche, puis épongez-les avec du papier absorbant. Coupez-les en lanières.
- Épluchez les gousses d'ail et émincez-les. Émincez finement le piment. Coupez les poivrons en deux, retirez les pépins et coupez-les en morceaux.
- Chauffez l'huile à feu vif dans un wok ou une grande poêle. Quand elle commence à fumer, faites-y revenir l'ail 1 minute en remuant vivement. Retirez-le à l'aide d'une écumoire et égouttez-le sur du papier absorbant.
- Laissez le wok sur le feu, remplacez l'ail par les poivrons et faites-les cuire 1 ou 2 minutes. Ajoutez les calmars et poursuivez la cuisson pendant 1 minute environ sans cesser de remuer, jusqu'à ce qu'ils blanchissent.
- Baissez très légèrement le feu, ajoutez la sauce de poisson, la sauce aux huîtres, le sucre et le piment, mélangez et laissez cuire encore 3 minutes.
- Au dernier moment, parsemez l'ail frit et le basilic, remuez bien et versez dans un plat chaud. Servez aussitôt.

Tout ce qui prend du temps dans cette recette peut être préparé à l'avance. La sauce se réchauffe très bien, et quand les crevettes sont déjà décortiquées, leur cuisson ne dure que quelques minutes : c'est la seule chose qui soit à faire au dernier moment.

Crevettes au cari jaune

gaeng garri gung

Préparation : 20 minutes Cuisson : 8 à 10 minutes Pour 4 personnes

600 g (1 ¼ lb) de crevettes crues
2 échalotes
375 ml (1 ½ tasse) de lait de coco
2 c. à soupe de pâte de cari jaune
2 c. à soupe de sauce de poisson (nuoc-mâm)
1 c. à soupe de sucre de palme
1 c. à soupe de basilic thaï

- Retirez les têtes des crevettes, puis décortiquez les queues en conservant l'éventail de l'extrémité. Ôtez la veine noire du dos. Rincez-les à l'eau fraîche, puis épongez-les.
- Épluchez et émincez finement les échalotes.
- Versez l'huile dans un wok (ou une grande poêle) placé sur feu vif. Faites-y revenir les échalotes pendant 1 minute, puis ajoutez la pâte de cari , remuez et laissez cuire encore 2 minutes.
- Versez le lait de coco, la sauce de poisson, ajoutez le sucre, mélangez bien et laissez mijoter 2 minutes à feu plus doux, jusqu'à l'obtention d'une consistance onctueuse.
- Ajoutez les crevettes et le basilic thaï, mélangez et faites cuire 3 ou 4 minutes, en remuant de temps en temps. Servez très chaud.

Salade de porc grillé

yam dotk muu

Cette salade peut également se préparer avec du bœuf ou du poulet. Pour parfumer le riz, j'ajoute parfois une rondelle de galanga et une feuille de lime cafre pendant qu'il grille, et je les retire avant de moudre le riz.

Préparation : 20 minutes
Cuisson : 2 minutes
Pour 4 personnes

300 g (10 oz) de filet mignon de porc
2 c. à soupe d'huile de tournesol
4 échalotes rouges
2 c. à soupe de menthe ciselée
2 c. à soupe de coriandre ciselée
1 c. à soupe de feuilles de coriandre
2 c. à soupe de riz jasmin
feuilles de laitue

Pour l'assaisonnement
2 ou 3 petits piments (selon le goût)
3 c. à soupe de jus de citron vert
3 c. à soupe de sauce de poisson (nuoc-mâm)
3 c. à café (3 c. à thé) de sucre en poudre

- Épluchez les échalotes, émincez-les en fines lamelles.
- Faites cuire le riz jasmin à sec, dans une petite casserole placée à feu modéré, en remuant sans cesse pendant 5 à 10 minutes, jusqu'à ce que les grains dorent. Retirez du feu, puis broyez le riz au mixeur ou pilez-le dans un mortier pour le réduire en poudre fine.
- Émincez le porc en fines lamelles. Faites-le revenir 2 minutes à feu vif avec l'huile, dans un wok ou une poêle, jusqu'à ce qu'il soit juste cuit. Laissez tiédir.
- Préparez l'assaisonnement. Lavez les piments, épépinez-les, puis hachez-les très finement. Dans un bol, délayez le sucre avec le jus de citron vert, puis ajoutez la sauce de poisson et les piments ; mélangez.
- Réunissez le porc, la menthe et la coriandre ciselées, les échalotes, le riz en poudre et l'assaisonnement dans un petit bol. Remuez bien, puis répartissez la salade dans des bols ou des assiettes creuses, sur des feuilles de laitue. Parsemez de feuilles de coriandre.

J'ai toujours sous la main des crevettes séchées que j'achète au marché. Quand je fais ce plat simplement pour nous, je les utilise souvent à la place des crevettes fraîches. Je les rince et les sèche soigneusement, puis je les ajoute dans le wok juste après les échalotes.

Nouilles de riz sautées aux crevettes

pad thai

Préparation : 25 minutes Trempage : 30 minutes Cuisson : 8 à 10 minutes Pour 4 à 6 personnes

200 g (7 oz) de nouilles de riz
500 g (1 lb) de crevettes crues
2 œufs
2 échalotes
2 oignons nouveaux
2 gousses d'ail
2 c. à soupe d'huile de tournesol
1/2 c. à soupe de sucre de palme
1/2 c. à soupe de sucre en poudre
2 c. à soupe de sauce de poisson (nuoc-mâm)
2 c. à soupe de jus de citron vert
100 g (3 ½ oz) de pousses de soja
1 c. à soupe de coriandre ciselée
1 c. à soupe d'arachides grillées, concassées
piment en flocons (selon le goût)

- Faites tremper les nouilles pendant 30 minutes dans un bol d'eau chaude pour les ramollir. Égouttez-les.
- Retirez les têtes des crevettes et décortiquez les queues en conservant l'éventail de l'extrémité. Ôtez la veine noire du dos. Rincez-les et séchez-les.
- Épluchez et hachez finement l'ail, les oignons et les échalotes. Battez les œufs en omelette dans un bol.
- Versez l'huile dans un wok placé sur feu vif. Quand elle est bien chaude, faites-y revenir les oignons, l'ail et les échalotes pendant 1 minute, puis ajoutez les crevettes et laissez-les cuire 1 ou 2 minutes selon leur taille, sans cesser de remuer. Videz dans un plat et réservez.
- Laissez le wok sur feu vif et faites-y revenir les nouilles égouttées pendant 1 ou 2 minutes, jusqu'à ce qu'elles commencent à dorer. Sans cesser de remuer, incorporez les œufs battus, puis la sauce de poisson, les sucres et le jus de citron vert ; laissez cuire 2 minutes.
- Ajoutez le soja, remettez les crevettes et faites cuire encore 2 minutes.
- Versez dans un plat très chaud et servez aussitôt, en parsemant la surface de coriandre ciselée, d'arachides et d'un peu de piment en flocons.

Si nous sommes un peu plus nombreux, j'utilise la même marinade pour un poulet entier que je rôtis au four. Je l'enduis complètement, puis j'incise la peau en plusieurs endroits et je glisse le mélange dessous pour bien parfumer la chair.

Poulet grillé à la sauce aux piments sucrée

kai yang

Préparation : 30 minutes Marinade : 12 heures Cuisson : 15 à 20 minutes Pour 4 personnes

4 cuisses de poulet
3 racines de coriandre
4 gousses d'ail
10 grains de poivre blanc
3 c. à soupe de sauce de poisson (nuoc-mâm)
½ c. à café (½ c. à thé) de sucre de palme
1 pincée de sel

Pour la sauce aux piments sucrée
5 racines de coriandre
5 gousses d'ail
2 ou 3 petits piments (selon le goût)
250 ml (1 tasse) de vinaigre blanc ou de vinaigre de riz
250 ml (1 tasse) d'eau
160 g (¾ tasse) de sucre en poudre
1 pincée de sel

- Grattez et lavez les racines de coriandre. Pelez les gousses d'ail. Écrasez-les ensemble avec le sel et le poivre, à l'aide d'un pilon et d'un mortier, jusqu'à obtenir une pâte épaisse. Ajoutez le sucre et la sauce de poisson et mélangez bien.
- Essuyez soigneusement les morceaux de poulet, mettez-les dans un plat creux et enduisez-les du mélange, en frottant légèrement pour bien les en imprégner. Mettez au réfrigérateur et laissez mariner 12 heures.
- Le lendemain, préparez la sauce. Pelez les gousses d'ail. Grattez et lavez les racines de coriandre. Écrasez-les ensemble au pilon et au mortier avec le sel et les piments épépinés, puis mettez la pâte obtenue dans une casserole. Ajoutez le vinaigre, le sucre et l'eau, mélangez bien et amenez à ébullition en remuant. Faites réduire de moitié à feu doux, puis laissez refroidir.
- Préparez la braise du barbecue ou préchauffez le gril du four.
- Posez les cuisses de poulet sur la grille et faites-les cuire 15 à 20 minutes selon leur épaisseur, en les retournant plusieurs fois. Servez accompagné d'un bol de sauce.

Ce mélange de fruits de mer est le plus classique et le plus goûteux, mais il m'arrive de préparer cette recette avec seulement des crevettes ou/et des calmars.

Fruits de mer au lait de coco

homok talai

Préparation : 30 minutes Cuisson : 8 à 10 minutes Pour 4 personnes

12 grosses moules
400 g (14 oz) de calmars nettoyés
4 pinces de crabe
8 crevettes crues
8 noix de saint-jacques
sel

Pour la sauce
750 ml (3 tasses) de lait de coco épais
2 c. à soupe d'huile de tournesol
3 gousses d'ail
3 échalotes
1 tige de citronnelle
1 ou 2 piments (selon le goût)
2 feuilles de lime
1 c. à soupe de coriandre ciselée
1 c. à soupe de basilic thaï
1 c. à soupe de sucre de palme
2 c. à soupe de sauce de poisson (nuoc-mâm)
2 c. à soupe de jus de citron vert

- Lavez et brossez les moules et les pinces de crabe sous un filet d'eau courante. Retirez la tête des crevettes et décortiquez les queues en conservant l'éventail de l'extrémité. Ôtez la veine noire du dos. Rincez-les à l'eau fraîche, ainsi que les calmars et les noix de saint-jacques.
- Faites cuire les pinces de crabe 5 minutes à l'eau bouillante légèrement salée, puis égouttez-les soigneusement.
- Épluchez et hachez finement l'ail et les échalotes. Émincez la tige de citronnelle et le piment.
- Versez l'huile dans un wok placé sur feu vif. Quand elle est bien chaude, faites-y revenir l'ail, les échalotes, la citronnelle et le piment pendant 1 ou 2 minutes, sans cesser de remuer. Ajoutez le sucre, les feuilles de lime, le basilic thaï et la coriandre, versez le lait de coco, mélangez bien, puis amenez à ébullition. Laissez frémir doucement pendant 2 minutes.
- Versez le jus de citron vert et la sauce de poisson, remuez, puis mettez les fruits de mer dans la sauce. Couvrez et laissez cuire 5 minutes à feu doux.

J'utilise le basilic que je cultive dans de petits pots. Ses petites feuilles vert foncé donnent aux plats une saveur légèrement citronnée et poivrée qui domine dans cette recette.

Porc au basilic thaï

muu pad bai horapa

Préparation : 15 minutes Cuisson : 6 minutes Pour 4 personnes

500 g (1 lb) de viande de porc maigre
½ poivron rouge
2 échalotes
2 gousses d'ail
4 c. à soupe de feuilles de basilic thaï hachées
1 c. à soupe de pâte de cari rouge
2 c. à soupe de sauce de poisson (nuoc-mâm)
1 c. à soupe de sucre en poudre
80 ml (⅓ tasse) de lait de coco
1 c. à soupe d'huile de tournesol

- Hachez le porc ou émincez-le très finement au couteau. Pelez et hachez les échalotes et les gousses d'ail. Retirez les graines du poivron et taillez-le en fines lanières.
- Versez l'huile dans un wok placé à feu vif. Quand elle est bien chaude, faites-y cuire la pâte de cari pendant 1 minute, puis ajoutez l'ail, les échalotes et le poivron. Faites-les revenir 1 minute, en remuant souvent.
- Ajoutez le porc et poursuivez la cuisson pendant 3 minutes.
- Versez la sauce de poisson et le lait de coco, ajoutez le sucre et le basilic, mélangez bien et laissez cuire encore 1 minute. Servez sans attendre.

Œufs frits au poulet et au basilic thaï

praow gai kai dow

Préparation : 15 minutes Cuisson : 4 minutes Pour 4 personnes

4 œufs très frais
200 g (7 oz) de blanc de poulet
2 c. à soupe d'huile
2 gousses d'ail
1 c. à café (1 c. à thé) de sauce aux huîtres
2 c. à café de sauce de poisson (nuoc-mâm)
1 c. à café (1 c. thé) de sucre en poudre
4 c. à soupe de bouillon de volaille
1 petit piment
3 c. à soupe de feuilles de basilic thaï

- Pelez et écrasez les gousses d'ail. Hachez finement le piment épépiné. Émincez le poulet en fines lamelles.
- Versez l'huile dans un wok (ou une grande poêle) placé à feu vif. Quand elle est bien chaude, cassez un œuf dans un bol et faites-le glisser dans le wok. Faites-le frire 1 minute, puis retournez-le délicatement et poursuivez la cuisson pendant 30 secondes. Faites cuire tous les œufs de la même manière et réservez-les sur un plat chaud.
- Laissez le wok sur le feu, ajoutez l'ail et le piment et faites-les revenir 30 secondes, sans cesser de remuer.
- Baissez un peu le feu, ajoutez le poulet et le basilic, faites cuire 1 minute, puis versez la sauce aux huîtres, la sauce de poisson et le bouillon, saupoudrez le sucre. Mélangez bien et laissez encore 1 minute sur le feu.
- Transvasez dans un plat bien chaud et disposez les œufs frits sur le poulet. Servez avec du riz à la vapeur.

Il est très important de bien réussir la cuisson des oeufs : le blanc doit être croustillant et le jaune encore coulant pour se mélanger au reste du plat dans l'assiette. Avec du riz parfumé, c'est un délice.

สอบสวน

Hum
Le père

Si j'étais... une couleur,

je serais le rose foncé d'une pastèque bien mûre,
qui rafraîchit si bien quand on travaille à la rizière pendant l'été.

Si j'étais... une odeur,

je serais celle d'une rue où sont regroupés tous les marchands ambulants
qui vendent de la nourriture.

Si j'étais... une saveur,

je serais celle du basilic thaï, si parfumé, et piquant sans être fort.

Si j'étais... un ustensile,

je serais mon hachoir bien aiguisé avec lequel je découpe
aussi finement qu'au couteau.

Si j'étais... un souvenir gourmand,

je serais le poulet au cari vert bien fort
préparé par Punk pour mon anniversaire l'année dernière.

Si j'étais... un péché mignon,

je serais les brochettes multicolores du marché de Sakaeo.
J'en mange chaque fois que j'y vais.

Dans cette recette très ancienne et très populaire chez nous, le poulet émincé cuit dans son assaisonnement. Comme beaucoup de salades thaïlandaises, celle-ci est liée avec du riz rôti et peut être plus ou moins épicée selon le goût de chacun.

Salade épicée de poulet

larb kai

Préparation : 20 minutes Cuisson : 3 minutes Pour 2 personnes

200 g (7 oz) de chair de poulet
2 gousses d'ail
2 échalotes rouges
1 c. à soupe de riz jasmin
3 c. à soupe de bouillon de volaille (frais ou préparé avec du concentré)
½ c. à café (½ c. à thé) de sucre en poudre
1 c. à soupe de sauce de poisson (nuoc-mâm)
2 c. à soupe de jus de citron vert
2 c. à soupe de coriandre ciselée (à longues feuilles de préférence)
1 c. à soupe de menthe ciselée
½ c. à café (½ c. à thé) de piment en poudre
1 pincée de sel

- Pelez les gousses d'ail. Épluchez et émincez finement les échalotes.
- Faites revenir le riz à sec dans une poêle antiadhésive jusqu'à ce qu'il soit bien doré, puis réduisez-le en poudre à l'aide d'un pilon et d'un mortier.
- Hachez grossièrement ou émincez très finement le poulet ; mélangez avec l'ail et le sel.
- Faites chauffer le bouillon dans un wok avec un peu du jus de citron et le sucre. Ajoutez le poulet et faites mijoter environ 3 minutes, en remuant souvent, jusqu'à ce qu'il soit juste cuit.
- Assaisonnez avec le reste de jus de citron vert, la sauce de poisson, la poudre de piment, puis incorporez les échalotes, la menthe et la moitié de la coriandre.
- Mélangez et versez dans des bols ou des coupelles. Parsemez de riz rôti et de feuilles de coriandre.

Poisson grillé, sauce pimentée

pla bao

Une de mes distractions favorites est d'aller pêcher dans la rivière qui passe près de notre village. Ce jour-là, Punk peut se reposer un peu : j'emmène Crok avec moi et, en rentrant, je prépare le barbecue... et le poisson.

- Grattez et lavez les racines de coriandre. Pelez les gousses d'ail. Écrasez-les ensemble à l'aide d'un pilon et d'un mortier pour obtenir une pâte épaisse. Épluchez et hachez finement les échalotes. Épépinez et hachez finement les piments.
- Préparez la sauce. Dans une petite casserole, faites revenir la pâte d'ail et les échalotes à feu vif, pendant 1 minute, avec 1 cuillerée à soupe d'huile. Baissez le feu, ajoutez la sauce de poisson, l'eau, le sucre et le jus de citron, mélangez et laissez cuire encore 1 minute. Retirez du feu, ajoutez les piments et la coriandre, versez dans un bol et réservez.
- Allumez le gril du four ou préparez la braise du barbecue.
- Videz et lavez le poisson, sans l'écailler. Épongez-le bien, puis enduisez-le d'huile des deux côtés. À l'aide d'un couteau parfaitement aiguisé, faites trois ou quatre entailles, en biais, sur chaque face. Posez le poisson sur la grille, à une quinzaine de centimètres de la source de chaleur (placez la lèchefrite dessous si vous utilisez le gril du four), et faites-le cuire 8 à 20 minutes selon sa taille et son épaisseur, en le retournant à mi-cuisson.
- Posez-le poisson sur un plat chaud, levez les filets et nappez-les de sauce.

Préparation : 20 minutes

Cuisson : 8 à 20 minutes

Pour 4 personnes

1 poisson blanc entier, d'environ 1,2 kg (2 ½ lb) (ou 2 à 4 petits poissons)
2 ou 3 c. à soupe d'huile de tournesol

Pour la sauce
6 gousses d'ail
3 échalotes rouges
3 racines de coriandre
3 ou 4 petits piments (selon le goût)
2 c. à soupe de sauce de poisson
2 c. à soupe de sauce soja
4 c. à soupe de jus de citron vert
1 c. à soupe de sucre de palme
4 c. à soupe d'eau
2 c. à soupe de feuilles de coriandre
1 c. à soupe d'huile de tournesol

Nouilles sautées aux fruits de mer

homok pad ba mii

Quand nous allons voir nos cousins au bord de la mer, où les crevettes et les coquillages sont tout frais, nous déjeunons avec eux d'un grand bol de ces nouilles que nous achetons dans la rue. À la maison, nous les garnissons plutôt avec de la volaille.

Préparation : 20 minutes
Cuisson : 8 minutes
Pour 4 personnes

200 g (7 oz) de nouilles aux œufs
8 noix de saint-jacques
200 g (7 oz) de queues de crevettes crues, décortiquées
2 gousses d'ail
2 oignons nouveaux, avec la tige
1 petit piment (ou plus, selon le goût)
1 tige de citronnelle
60 g (2 oz) de germes de soja
2 œufs battus
10 g (⅓ oz) de crevettes séchées
30 g (1 oz) d'arachides grillées
3 c. à soupe de sauce de poisson (nuoc-mâm)
1 c. à café (½ c. à thé) de sauce soja
3 c. à soupe de jus de citron vert
4 c. à soupe d'huile de tournesol
1 c. à café de sucre en poudre
1 c. à soupe de coriandre ciselée

- Faites cuire les nouilles 3 minutes à l'eau bouillante salée. Égouttez-les.
- Pelez et hachez finement l'ail et les oignons. Épépinez le piment et hachez-le. Supprimez le vert de la tige de citronnelle et émincez le blanc. Concassez les arachides.
- Rincez les fruits de mer à l'eau fraîche. Épongez-les soigneusement. Coupez chaque noix de saint-jacques en deux dans l'épaisseur. Dans un mortier, écrasez les crevettes séchées au pilon.
- Versez 2 cuillerées à soupe d'huile dans un wok placé à feu vif. Quand elle commence à fumer, ajoutez les noix de saint-jacques et les crevettes crues, faites-les revenir 1 minute, en remuant souvent. Ajoutez l'ail, les oignons, le piment, la citronnelle et les germes de soja ; faites sauter encore 1 minute.
- Ajoutez le sucre, le jus de citron, la sauce de poisson, la sauce soja et la coriandre, mélangez, puis transvasez cette garniture dans un plat et réservez-la.
- Essuyez le wok, versez-y le reste de l'huile et remettez-le à feu vif. Faites-y revenir les nouilles 1 à 2 minutes, en secouant bien le wok. Parsemez la poudre de crevettes séchées, ajoutez les œufs battus et laissez-les prendre, sans cesser de remuer.
- Remettez la garniture dans le wok, mélangez bien et laissez encore quelques instants sur le feu pour tout réchauffer. Servez aussitôt.

En Thaïlande, on peut acheter le canard rôti tout prêt, au marché, comme le canard laqué chinois. Mais il est tellement meilleur préparé à la maison, juste sorti du four, bien doré et croustillant !

Canard rôti

ped yang nam phung

Préparation : 20 minutes Marinade : 12 heures Cuisson : 1 h 30 Pour 4 personnes

1 canard d'environ 2 kg (4 ½ lb), prêt à cuire

Pour la marinade
8 gousses d'ail
3 racines de coriandre
3 c. à soupe de miel liquide
3 c. à soupe de sauce soja
sel et poivre du moulin

Pour la sauce
4 c. à soupe de sauce soja
6 c. à soupe de vinaigre de riz ou de vinaigre de vin doux
1 c. à soupe de sauce de poisson (nuoc-mâm)
3 ou 4 c. à soupe de sucre de palme ou de sucre brun
1 petit piment
2 c. à soupe de feuilles de coriandre

- Préparez la marinade : grattez et lavez les racines de coriandre. Pelez les gousses d'ail. Écrasez-les ensemble à l'aide d'un pilon et d'un mortier pour obtenir une pâte épaisse. Ajoutez du sel, du poivre, la sauce soja et le miel ; mélangez bien.
- Essuyez soigneusement le canard à l'intérieur et à l'extérieur, posez-le dans un plat creux et enduisez-le de marinade, en le frottant sur toute sa surface pour bien l'en imprégner. Couvrez, mettez au réfrigérateur et laissez mariner toute une nuit.
- Le lendemain, préchauffez le four à 180 °C (375 °F). Posez le canard sur la grille, au-dessus de la lèchefrite, et faites-le cuire environ 1 h 30, en le retournant de temps en temps et en le badigeonnant régulièrement avec le jus de cuisson.
- Préparez la sauce pendant la cuisson du poulet : mélangez le vinaigre, la sauce de poisson, la sauce soja et le sucre dans une petite casserole, amenez à ébullition et laissez cuire 5 à 10 minutes à petits frémissements, jusqu'à l'obtention d'une consistance légèrement sirupeuse. Émincez finement le piment, ajoutez-le à la sauce, ainsi que les feuilles de coriandre, et laissez refroidir.
- Découpez le canard au moment de servir et accompagnez-le de la sauce.

Moules au basilic thaï

hoy lai pad prik

Préparation : 20 minutes Cuisson : 5 minutes Pour 4 personnes

1,2 kg (2 ½ lb) de moules
3 échalotes rouges
3 gousses d'ail
1 c. à soupe de sauce de poisson (nuoc-mâm)
1 c. à soupe de jus de citron vert
1 poignée de feuilles de basilic thaï
1 ou 2 petits piments
1 c. à soupe d'huile de tournesol

- Plongez les moules dans un grand récipient d'eau froide, grattez-les dans leur eau de trempage et rincez-les. Jetez toutes celles qui sont ouvertes ou ne se referment pas quand on les tapote. Égouttez les autres.
- Épluchez et hachez finement l'ail et les échalotes. Lavez et émincez les piments.
- Dans un grand wok sur feu moyen, faites revenir à l'huile pendant 1 minute l'ail et les échalotes. Augmentez le feu, ajoutez les moules, couvrez et faites cuire 3 ou 4 minutes, sans cesser de secouer le récipient, jusqu'à ce qu'elles s'ouvrent.
- Versez la sauce de poisson, parsemez le basilic et le piment, remuez à nouveau.
- Transvasez dans un plat chaud et arrosez avec le jus de citron vert. Servez immédiatement.

Pour ce plat, il faut un basilic au parfum assez fort : les trois variétés qui poussent en Thaïlande conviennent, mais celles à petites feuilles vertes ou veinées de violet sont les meilleures.

Miou
La fille

Si j'étais... une couleur,

je serais toutes celles du marché, parce qu'elles sont toutes aussi belles.

Si j'étais... une odeur,

je serais celle qui se dégage du riz tout chaud
quand on l'apporte sur la table.

Si j'étais... une saveur,

je serais celle du sucre de palme : je trouve qu'il sent un peu le caramel.

Si j'étais... un ustensile,

je serais un panier en bambou, parce que j'aime beaucoup les bouchées
cuites à la vapeur et que c'est très beau pour servir.

Si j'étais... un souvenir gourmand,

je serais un repas préparé par ma grand-mère,
avec juste des petits hors-d'œuvre.

Si j'étais... un péché mignon,

je serais le riz gluant au coco, bien crémeux,
même s'il n'y a pas de mangue dedans.

C'est avec ma grand-mère que j'apprends à faire ce plat. Elle m'a expliqué qu'il faut d'abord faire tremper les bâtonnets de bambou dans de l'eau pendant 1 heure pour qu'ils ne brûlent pas ensuite sur la braise. Je ne prépare pas encore la sauce, mais j'aide à enfiler les morceaux de viande sur les brochettes. On peut les faire aussi avec du porc ou une autre viande.

Brochettes de poulet saté

kai satay

Préparation : 30 minutes Marinade : 12 heures Cuisson : 4 minutes Pour 4 personnes

500 g (1 lb) de blanc de poulet sans peau

Pour la marinade

1 échalote rouge
2 gousses d'ail
2 racines de coriandre
1,5 cm (½ po) de galanga
175 ml (¾ tasse) de lait de coco
1 c. à café (1 c. à thé) de curcuma
1 c. à café (1 c. à thé) de cumin moulu
1 c. à café (1 c. à thé) de sucre de palme
1 c. à café (1 c. à thé) d'huile de tournesol
1 c. à café (1 c. à thé) de curry en poudre

Pour la sauce aux arachides

150 g (5 oz) d'arachides
2 c. à soupe de pâte de cari rouge
375 ml (1 ½ tasse) de lait de coco
3 c. à soupe de sucre de palme
ou de sucre brun
2 c. à soupe d'huile de tournesol
2 c. à soupe de vinaigre de riz
1 c. à café (1 c. à thé) de sel

• Pelez les gousses d'ail, l'échalote et le galanga, puis hachez-les grossièrement au couteau. Grattez et lavez les racines de coriandre. Écrasez ces ingrédients ensemble à l'aide d'un pilon et d'un mortier, pour obtenir une pâte épaisse. Mélangez-les ensuite dans un bol avec les autres ingrédients de la marinade.

• Coupez le poulet en bandes d'environ 8 x 2 cm (3 x ¾ po) ayant 5 mm (¼ po) d'épaisseur. Mettez-les dans la marinade, remuez plusieurs fois pour bien les en enrober, couvrez et laissez mariner au réfrigérateur pendant au moins 6 heures – ou, mieux, jusqu'au lendemain.

• Le lendemain, mettez à tremper dans de l'eau pendant au moins 1 heure une vingtaine de piques à brochette en bambou ou en bois.

• Préparez la sauce aux arachides. Faites griller les arachides à sec dans une poêle jusqu'à ce qu'elles soient bien dorées, puis broyez-les au mixeur jusqu'à obtenir une poudre pas trop fine.

• D'autre part, faites revenir la pâte de cari pendant 1 minute dans une petite casserole avec l'huile. Ajoutez le lait de coco, remuez, laissez cuire encore 1 minute, puis incorporez la poudre d'arachide, le sucre, le sel et le vinaigre de riz. Faites mijoter une quinzaine de minutes, jusqu'à ce que le mélange soit onctueux et crémeux. Laissez tiédir.

• Allumez le gril du four ou préparez la braise du barbecue. Enfilez les bandes de viande sur les piques à brochette et faites-les cuire 4 à 6 minutes, en les retournant une fois, jusqu'à ce qu'elles soient bien grillées. Servez chaud, accompagné de la sauce aux arachides.

Crok aime bien que son œuf ne soit pas battu. Maman le lui fait cuire entier au dernier moment, pour le mettre bien chaud dans le bouillon. Moi, je préfère le mélanger à la soupe.

Soupe à l'œuf croustillant et au pak choï

gang jeut pak kanaa

Préparation : 20 minutes Cuisson : 10 minutes Pour 4 personnes

2 œufs
300 g (10 oz) de pak choï (brocoli chinois) ou d'un autre légume vert
1 l (4 tasses) de bouillon de volaille frais ou préparé avec du concentré
2 gousses d'ail
1 c. à soupe de sauce aux huîtres
1 c. à soupe de sauce soja
3 c. à soupe d'huile de tournesol
quelques gouttes d'huile de sésame
1 c. à café (1 c. à thé) de sucre
sel

- Cassez les œufs dans un bol et battez-les en omelette avec une pincée de sel. Pelez les gousses d'ail, émincez-les en fines lamelles.
- Faites chauffer l'huile de tournesol dans un wok placé à feu vif. Quand elle est bien chaude, versez-y doucement les œufs battus en prenant garde aux éclaboussures ; faites-les frire jusqu'à ce que l'omelette soit prise et que les bords soient bien croustillants. Retournez-la et faites cuire l'autre côté quelques secondes seulement. Sortez-la avec une écumoire et égouttez-la sur du papier absorbant.
- Laissez le wok sur le feu et faites frire les lamelles d'ail jusqu'à ce qu'elles soient juste dorées. Égouttez-les et réservez-les.
- Coupez la base des pieds de pak choï, pelez le bas des tiges, taillez le légume en lanières. Coupez l'omelette également en lanières.
- Versez le bouillon dans une casserole et amenez à ébullition. Ajoutez le pak choï, le sucre, une pincée de sel, la sauce soja et la sauce aux huîtres ; laissez cuire quelques minutes à feu doux, jusqu'à ce que le légume soit bien cuit.
- Ajoutez les lanières d'œuf et l'ail frit, laissez encore quelques instants sur le feu pour tout réchauffer.
- Au dernier moment, ajoutez quelques gouttes d'huile de sésame.

Cette recette, c'est celle de Maman, mais je crois que je préfère celle de ma grand-mère, qui met un peu de lait de coco dans la sauce. Elle ajoute aussi parfois de petites crevettes cuites décortiquées.

Salade de pomélo

yam som oo

Préparation : 25 minutes Cuisson : 1 minute Pour 4 personnes

1 gros pomélo d'environ 400 g (14 oz)
3 gousses d'ail
3 échalotes rouges
3 oignons nouveaux avec la tige verte
2 c. à soupe de crevettes séchées
2 c. à soupe d'arachides
1 ou 2 petits piments (selon le goût)
1 c. à soupe de sucre de palme
ou de sucre brun
2 c. à soupe de jus de citron vert
2 c. à soupe de sauce de poisson
(nuoc-mâm)
2 c. à soupe de feuilles de coriandre
pour décorer

• Épluchez le pomélo à vif, en retirant toute la peau blanche avec l'écorce. Séparez les quartiers et retirez la fine membrane qui les enveloppe. Recoupez chaque quartier en deux ou trois morceaux.

• Pelez les échalotes, les oignons nouveaux et les gousses d'ail, puis émincez-les en fines lamelles. Lavez et hachez finement les piments. Coupez grossièrement les crevettes au couteau. Faites légèrement griller les arachides à sec et broyez-les au mixeur ou au pilon dans un mortier.

• Versez l'huile dans un wok placé à feu moyen. Quand elle est bien chaude, faites-y frire l'ail, l'oignon et l'échalote pendant 1 minute, jusqu'à ce qu'ils soient bien dorés. Retirez-les avec une écumoire et égouttez-les sur du papier absorbant.

• Mélangez la sauce de poisson, le jus de citron vert et le sucre dans un bol. Ajoutez tous les autres ingrédients et mélangez délicatement. Transvasez dans un joli plat et décorez de feuilles de coriandre.

Crock
Le fils

Si j'étais... une couleur,

je serais le bleu, c'est la couleur du tracteur de la coopérative
et du costume que j'aurai pour aller à l'école.

Si j'étais... une odeur,

je serais celle des petits beignets tout chauds,
quand ma grand-mère vient juste de les cuire.

Si j'étais... une saveur,

je serais celle du jaune d'œuf mélangé au bouillon de la soupe.

Si j'étais... un ustensile,

je serais le mortier et le pilon,
parce qu'il faut être très fort pour s'en servir.

Si j'étais... un souvenir gourmand,

je serais un riz sauté à l'ananas, avec plein d'ananas,
présenté dans l'écorce : je trouve cela si joli !

Si j'étais... un péché mignon,

je serais les arachides et les noix de cajou.
D'ailleurs, j'adore tous les plats où il y en a.

Maman met parfois du poulet à la place du canard et, si elle n'a pas de pousses de bambou, elle les remplace par des germes de soja. C'est très bon aussi, mais je trouve quand même que le canard est plus parfumé.

Nouilles sautées au canard et aux pousses de bambou

ped yang ba mii

Préparation : 20 minutes Cuisson : 4 à 6 minutes Pour 4 personnes

200 g (7 oz) de nouilles aux œufs
500 g (1 lb) de canard, sans peau (filet ou cuisse désossée)
2 gousses d'ail
2 ciboules
10 g (1/3 oz) de champignons noirs déshydratés
150 g (5 oz) de pousses de bambou
125 ml (1/2 tasse) de bouillon de volaille
frais ou préparé avec du concentré
2 c. à soupe d'huile de tournesol
3 c. à soupe de sauce soja
1 c. à soupe de sauce de poisson (nuoc-mâm)
1 pincée de sucre de palme
1 c. à soupe de feuilles de coriandre ciselées

- Faites tremper les champignons pendant 15 minutes dans un bol d'eau très chaude.
- Pendant ce temps, rincez et égouttez les pousses de bambou, émincez-les en fines lamelles. Pelez et hachez finement les gousses d'ail et les ciboules.
- Faites cuire les nouilles 3 minutes à l'eau bouillante salée, en les séparant à l'aide de deux fourchettes. Versez-les dans une passoire, rincez-les, puis égouttez-les.
- Égouttez les champignons noirs, supprimez leur base dure et coupez-les en morceaux. Coupez les pousses de bambou en lamelles.
- Émincez le canard en petites lamelles. Faites-le revenir 2 minutes à feu vif avec l'huile, dans un wok, en remuant vivement. Retirez-le avec une écumoire et réservez.
- Jetez l'ail et les ciboules dans le wok et faites-les revenir 1 minute. Versez le bouillon, la sauce soja et la sauce de poisson ; laissez cuire encore 1 minute.
- Remettez les nouilles, les champignons, les pousses de bambou et les lamelles de canard dans le wok, ajoutez le sucre, mélangez bien et poursuivez la cuisson pendant encore 1 ou 2 minutes à feu assez vif, en remuant constamment pour bien réchauffer l'ensemble.
- Versez dans un plat chaud, parsemez de coriandre et servez aussitôt.

C'est toujours ma grand-mère qui prépare ces petites boulettes. Elle m'a appris à les faire avec elle : je mouille mes mains, je prends un petit peu de farce et je la roule entre mes doigts jusqu'à ce que la petite boule soit toute ronde.

Boulettes de viande parfumées

tod man nuer

Préparation : 30 minutes Cuisson : 3 à 4 minutes par tournée Pour 4 personnes

125 g (¼ lb) d'échine de porc
125 g (¼ lb) de viande de bœuf
4 gousses d'ail
2 oignons nouveaux
2 c. à soupe de coriandre ciselée
1 c. à soupe de sauce de poisson (nuoc-mâm)
1 blanc d'œuf
farine
huile de friture
½ c. à café (½ c. à thé) de sel
2 pincées de poivre

- Pelez et écrasez les gousses d'ail. Hachez très finement les petits oignons.
- Coupez les viandes en morceaux, puis passez-les au hachoir à grille fine.
- Réunissez les viandes hachées, le blanc d'œuf, l'ail, les oignons, la coriandre et la sauce de poisson dans un bol ; salez, poivrez, puis malaxez à la spatule jusqu'à ce que le mélange soit parfaitement homogène.
- Humidifiez vos mains et moulez la préparation en boulettes de la taille d'une grosse noix. Roulez-les l'une après l'autre dans la farine pour les enrober d'une couche très fine.
- Faites chauffer l'huile à 180 °C (375 °F) dans une friteuse ou un wok. Plongez-y les boulettes par petites quantités, pour qu'elles ne collent pas entre elles, et faites-les frire 3 à 4 minutes, en les retournant plusieurs fois, jusqu'à ce qu'elles soient dorées et croustillantes. Sortez-les avec une écumoire et égouttez-les quelques instants sur du papier absorbant. Disposez-les sur un plat chaud et servez aussitôt.

Soupe aux nouilles et au poulet

kao soi

Cette soupe est originaire du nord de la Thaïlande. Même sans cari, elle est très bonne. Maman remplit tellement nos bols que je n'arrive jamais à finir le mien ; quand elle prépare cette recette, nous ne mangeons que ça.

Préparation : 15 minutes
Cuisson : 30 minutes
Pour 4 personnes

200 g (7 oz) de nouilles aux œufs
200 g (7 oz) de chair de poulet sans peau (blanc ou cuisse désossée)
1,2 l (5 tasses) de bouillon de volaille frais ou préparé avec du concentré
375 ml (1 ½ tasse) de lait de coco
2 tiges de citronnelle
3 gousses d'ail
2 ciboules ou 2 oignons nouveaux, avec la tige
1 ou 2 petits piments (selon le goût)
1 c. à soupe de sauce de poisson (nuoc-mâm)
2 c. à soupe de jus de citron vert
1 c. à café (1 c. à thé) de sucre en poudre
1 ou 2 c. à soupe de pâte de cari jaune
2 c. à soupe d'huile de tournesol
1 c. à soupe de feuilles de coriandre ciselées
1 c. à soupe de feuilles de basilic thaï ciselées
sel et poivre du moulin

- Pelez et hachez finement les gousses d'ail et les ciboules. Coupez le vert des tiges de citronnelle pour ne conserver que la partie blanche ; fendez-les en deux dans la longueur sans aller jusqu'à la base. Lavez et émincez les petits piments. Taillez le poulet en lamelles.
- Dans une grande casserole placée à feu moyen, faites revenir pendant 3 ou 4 minutes l'ail et les ciboules avec l'huile. Versez le bouillon et le lait de coco, ajoutez la citronnelle, puis baissez le feu et laissez mijoter une dizaine de minutes.
- Faites cuire les nouilles pendant 2 minutes dans une grande casserole d'eau bouillante légèrement salée, en les séparant avec deux fourchettes. Égouttez-les bien, puis versez-les aussitôt dans le bouillon au lait de coco. Ajoutez le poulet, le sucre, le cari, la sauce de poisson, le jus de citron, un peu de sel et de poivre, mélangez bien et laissez cuire à feu doux pendant encore 5 minutes.
- Servez dans une soupière ou des grands bols, en décorant de feuilles de coriandre et de basilic ciselées.

Quand nous sommes allés voir le frère de Papa au bord de la mer, il nous a donné des calmars qu'il avait pêchés. Comme il était déjà très tard quand nous sommes rentrés, Maman nous les a vite préparés en salade.

Salade de calmars pimentée

yam pla meuk

Préparation : 15 minutes Cuisson : 1 à 2 minutes Pour 4 personnes

400 g (14 oz) de calmars nettoyés
3 échalotes rouges
2 feuilles de limettier kaffir
1 tige de citronnelle
1 c. à soupe de menthe ciselée
1 c. à soupe de coriandre ciselée

Pour l'assaisonnement
2 à 4 petits piments (selon le goût)
3 c. à soupe de jus de citron vert
3 c. à soupe de sauce de poisson (nuoc-mâm)
1 pincée de sel
1 pincée de sucre

- Rincez soigneusement les calmars à l'eau fraîche. Coupez les tentacules en tronçons de 2 à 3 cm (1 po). Avec un couteau parfaitement aiguisé, incisez superficiellement le corps en le quadrillant, puis coupez-le en bandes de 2 cm (¾ po).
- Faites blanchir les morceaux de calmars 1 ou 2 minutes dans une grande casserole d'eau bouillante salée. Égouttez et laissez refroidir.
- Épluchez les échalotes et émincez-les en fines lamelles. Lavez et ciselez les feuilles de limettier. Supprimez le vert de la tige de citronnelle pour ne conserver que la partie blanche ; hachez-la très finement.
- Réunissez les calmars, les échalotes, les feuilles de limettier, la citronnelle, la menthe et la coriandre dans un bol ; mélangez délicatement.
- Mélangez les ingrédients de la sauce dans un bol, versez sur les calmars et remuez à nouveau juste avant de servir.

Je trouve toujours qu'il n'y a pas assez de porc croustillant, mais c'est parce que je le préfère tout seul, sans le riz que Maman sert en accompagnement. Papa, lui, aime le manger avec de la salade de papaye verte.

Porc sucré croustillant

muu grop warn

Marinade : 12 heures Séchage : 24 heures Préparation : 15 minutes Cuisson : 3 minutes Pour 4 personnes

400 g (14 oz) de poitrine de porc
6 c. à soupe de sauce aux huîtres
6 c. à soupe de sauce soja (sucrée de préférence)
150 g (3/4 tasse) de sucre de palme ou de sucre brun
1 étoile de badiane (anis étoilé)
1 pincée de sel
huile de friture

- Mélangez la sauce soja, la sauce aux huîtres, le sucre de palme, le sel et la badiane dans une casserole, amenez à petite ébullition et laissez mijoter environ 3 minutes, jusqu'à l'obtention d'une consistance sirupeuse, en surveillant attentivement la cuisson et en ajoutant éventuellement un peu d'eau. Laissez refroidir.
- Retirez la couenne du porc et taillez-le en petites bandes d'environ 5 x 2 cm (2 x 3/4 po). Mettez-les dans le sirop, remuez bien, couvrez et laissez mariner toute une nuit au réfrigérateur.
- Le lendemain, posez les morceaux de porc sur une grille, au-dessus d'un plat, et laissez-les sécher pendant 24 heures.
- Le jour même, faites chauffer un bain de friture dans un grand wok placé à feu moyen. Faites-y frire les morceaux de porc jusqu'à ce qu'ils prennent une belle couleur brune, sortez-les au fur et à mesure à l'aide d'une écumoire et égouttez-les sur du papier absorbant avant de servir.

Salade de vermicelles aux crevettes et au porc

yam woon sen

Je trouve que Maman va vraiment très vite pour nous préparer cette salade : elle met les vermicelles à tremper pendant qu'elle fait autre chose, et ensuite, elle n'a plus qu'à faire revenir la garniture.

Préparation : 10 minutes
Trempage : 20 minutes
Cuisson : 7 à 8 minutes
Pour 4 personnes

200 g (7 oz) de vermicelles de riz
200 g (7 oz) de porc haché
3 c. à soupe de crevettes séchées
4 échalotes rouges
2 gousses d'ail
1 à 3 petits piments (selon le goût)
3 c. à soupe de sauce de poisson (nuoc-mâm)
3 c. à soupe de jus de citron vert
1 c. à café (1 c. à thé) de sucre en poudre
2 c. à soupe d'huile de tournesol
2 c. à soupe de feuilles de coriandre ciselées
feuilles de laitue pour le décor
sel et poivre du moulin

- Faites tremper les vermicelles pendant 20 minutes dans une jatte d'eau chaude. Égouttez-les bien, recoupez-les éventuellement, puis mettez-les dans un bol.
- Épluchez et émincez finement l'ail et les échalotes. Lavez les piments, hachez-les très finement.
- Dans un wok placé à feu vif, faites revenir pendant 1 minute l'ail, les échalotes et les crevettes avec l'huile, sans cesser de remuer.
- Ajoutez le porc et poursuivez la cuisson, toujours en remuant, pendant 3 ou 4 minutes. Ajoutez la sauce de poisson, le jus de citron vert, les piments, le sucre en poudre, un peu de sel et de poivre. Versez sur les vermicelles et mélangez.
- Disposez sur un plat recouvert de feuilles de laitue, parsemez de coriandre et servez à température ambiante.

Pour me faire plaisir, ma grand-mère ajoute parfois une ou deux tranches d'ananas coupées en morceaux : je me dépêche de me servir avant Miou pour en avoir un peu plus !

Poulet aux noix de cajou

kai bud med ma maung

Préparation : 20 minutes Marinade : 1 heure Cuisson : 6 minutes Pour 4 personnes

400 g (14 oz) de poulet sans peau (blanc ou cuisse désossée)
2 gousses d'ail
1 ou 2 petits piments séchés (selon le goût)
100 g (3/4 tasse) de noix de cajou
1/2 poivron vert ou rouge
4 ciboules ou 4 oignons nouveaux
3 c. à soupe d'huile de tournesol
1 c. à soupe de sauce de poisson (nuoc-mâm)
2 c. à soupe de sauce soja
1 c. à soupe de sauce aux huîtres
3 c. à soupe de bouillon de volaille
1 c. à café (1 c. à thé) de sucre

• Coupez le poulet en lamelles, arrosez-le de la sauce soja et laissez-le mariner 1 heure.

• Faites revenir les noix de cajou à feu moyen avec 1 cuillerée à soupe d'huile, jusqu'à ce qu'elles soient bien dorées. Réservez-les.

• Pelez et hachez finement les gousses d'ail. Retirez la tige et les graines des piments et coupez-les en fines lamelles. Taillez la chair du poivron en très fines lanières. Épluchez et hachez finement les ciboules.

• Versez le reste de l'huile dans un wok placé à feu assez vif. Faites-y revenir l'ail et les piments pendant 1 minute, jusqu'à ce que leur arôme se dégage, puis ajoutez le poulet, le poivron et les ciboules ; faites cuire 3 ou 4 minutes, en remuant souvent.

• Ajoutez le sucre, la sauce de poisson, la sauce aux huîtres, le bouillon et les noix de cajou ; laissez encore 1 à 2 minutes sur le feu avant de servir.

Les feuilles de pandanus sont longues, étroites et très parfumées. Quand Maman n'en a pas, elle me prépare quand même mon dessert préféré, mais c'est un peu moins bien. Si elle a le temps, elle confectionne de petites barquettes avec des feuilles et verse les crèmes dedans.

Entremets au lait de coco

ta-kho

Préparation : 30 minutes Cuisson : 10 minutes Pour 4 personnes

8 c. à soupe de farine de riz
4 c. à soupe de fécule de maïs
120 g (2/3 tasse) de sucre en poudre
1 c. à soupe de cassonade
60 g (2 oz) de châtaignes d'eau
150 g (5 oz) de feuilles de pandanus (ou bay theoy dans les épiceries asiatiques)
quelques pétales de rose pour décorer

Pour la crème coco
500 ml (2 tasses) de lait de coco
1 c. à soupe de farine de riz
1 c. à soupe de fécule de maïs
1/4 c. à café (1/4 c. à thé) de sel

- Lavez les feuilles de pandanus. Coupez-les en morceaux et mettez-les dans le bol d'un robot avec 250 ml (1 tasse) d'eau. Mixez-les jusqu'à l'obtention d'une consistance onctueuse, puis filtrez le mélange à travers une passoire fine : vous devez obtenir un liquide d'un beau vert.
- Mélangez la farine de riz, la fécule de maïs, la cassonade et le sucre dans une casserole, puis versez lentement l'eau de pandanus, sans cesser de remuer. Amenez à ébullition et faites cuire à feu doux, en remuant toujours, pendant environ 5 minutes : le mélange doit épaissir et ne plus avoir de goût de farine.
- Hachez les châtaignes d'eau au couteau, ajoutez-les au contenu de la casserole et mélangez bien. Versez dans des coupelles et laissez refroidir.
- Préparez la crème coco : mélangez les ingrédients dans une casserole, amenez à ébullition et faites cuire, sans cesser de remuer, jusqu'à l'obtention d'une crème épaisse. Versez-la dans les coupelles, sur la préparation précédente.
- Laissez refroidir complètement et décorez de pétales de rose au moment de servir.

Wan
La grand-mère

Si j'étais... une couleur,

je serais le jaune des œillets, avec lesquels on fait de si jolis bouquets.

Si j'étais... une odeur,

je serais celle du bouillon de poulet riche en aromates
que je prépare pour les soupes ; je ne m'en lasse pas.

Si j'étais... une saveur,

je serais celle du lait de coco,
pour la douceur qu'il apporte à tous les plats.

Si j'étais... un ustensile,

je serais mon vieux wok bien sûr,
il m'accompagne depuis tant d'années, et je peux tout y faire.

Si j'étais... un souvenir gourmand,

je serais le repas de Songkran, l'année de la naissance de Miou :
il était spécialement réussi.

Si j'étais... un péché mignon,

je serais un ravioli frit, grignoté pendant que je prépare le repas.

Nos rouleaux croustillants ressemblent aux pâtés impériaux chinois, sans en avoir pourtant exactement le goût. La pâte d'ail et de gingembre ajoutée à la farce leur donne la saveur caractéristique des préparations thaïlandaises.

Rouleaux de printemps

poh piah tod

Préparation : 1 heure Cuisson : 4 minutes Pour 4 personnes

1 paquet de galettes de riz
150 g (5 oz) de chair de crabe
150 g (5 oz) de crevettes crues décortiquées
100 g (3 ½ oz) de viande de porc hachée
20 g (⅔ oz) de champignons noirs séchés
45 g (1 ½ oz) de vermicelles transparents
4 gousses d'ail
1 cm (½ po) de gingembre frais
2 oignons nouveaux
1 c. à soupe de sauce soja
2 c. à soupe de sauce de poisson (nuoc-mâm)
2 c. à café (2 c. à thé) de sucre en poudre
1 c. à soupe de coriandre ciselée huile de friture

- Faites tremper les champignons 20 minutes dans de l'eau tiède. Égouttez-les avec soin, puis supprimez leurs parties dures et hachez-les finement.
- Faites également tremper les vermicelles pendant 5 minutes dans de l'eau tiède. Égouttez-les et coupez-les en morceaux de 2 cm (¾ po).
- Pelez et hachez l'ail et le gingembre. Écrasez-les ensemble à l'aide d'un pilon et d'un mortier. Hachez finement les crevettes au couteau. Épluchez et émincez les oignons.
- Versez l'huile dans un wok placé à feu vif. Quand elle est bien chaude, faites-y revenir la pâte d'ail pendant 1 minute, puis ajoutez les crevettes, le porc, la chair de crabe, la sauce soja, la sauce de poisson et le sucre ; poursuivez la cuisson à feu vif pendant 2 minutes, sans cesser de remuer.
- Retirez du feu, ajoutez les vermicelles, les champignons, les oignons nouveaux émincés et la coriandre ; malaxez l'ensemble à la spatule pour obtenir une farce homogène.
- Trempez-une galette de riz quelques secondes dans de l'eau chaude pour la ramollir, puis étalez-la devant vous sur une serviette propre. Posez 2 cuillerées à soupe de farce à mi-chemin entre le centre et le bord de la galette et donnez-lui une forme allongée. Repliez le côté droit et le côté gauche de la galette sur cette garniture, puis roulez la galette autour en serrant bien et en lui donnant la forme d'un cylindre.
- Faites chauffer l'huile dans une friteuse ou un wok. Plongez-y les petits rouleaux sans qu'ils se chevauchent et faites-les frire 3 à 4 minutes, en les retournant une ou deux fois, jusqu'à ce qu'ils soient bien dorés. Égouttez-les sur du papier absorbant et servez aussitôt.

Poulet à la citronnelle

kai tod ta krai

Rien ne remplace l'arôme unique de la citronnelle. J'aime particulièrement cette marinade où sa saveur domine : je l'utilise également pour parfumer des cuisses de poulet que je fais cuire au four.

- Retirez les feuilles extérieures des tiges de citronnelle et coupez l'extrémité verte pour ne conserver que la partie blanche. Hachez finement deux tiges et émincez les deux autres dans la longueur pour obtenir de longs filaments.
- Mélangez la citronnelle hachée, la sauce soja, la sauce aux huîtres et la sauce de poisson dans un plat creux. Mettez les morceaux de poulet dans cette marinade, retournez-les plusieurs fois pour bien les en enrober, placez au réfrigérateur et laissez macérer pendant au moins 2 heures.
- Mettez l'huile à chauffer dans un grand wok, à température moyenne. Faites-y frire les feuilles de limettier et les filaments de citronnelle 1 minute environ, jusqu'à ce qu'ils soient croustillants. Sortez-les à l'aide d'une écumoire et réservez-les au chaud.
- Sortez les morceaux de poulet de la marinade et plongez-les à leur tour dans l'huile chaude parfumée. Faites-les frire 4 à 6 minutes selon leur épaisseur, en les retournant plusieurs fois, jusqu'à ce qu'ils soient cuits à cœur et dorés à l'extérieur. Égouttez-les quelques instants sur du papier absorbant, puis disposez-les sur un plat chaud. Décorez avec la citronnelle et les feuilles de limettier frites. Servez aussitôt.

Préparation : 15 minutes

Marinade : 2 heures

Cuisson : 4 à 6 minutes

Pour 4 personnes

4 blancs de poulet sans peau
2 c. à soupe de sauce aux huîtres
2 c. à soupe de sauce soja
2 c. à soupe de sauce de poisson (nuoc-mâm)
1 c. à soupe de sucre en poudre
4 feuilles de limettier kaffir
4 tiges de citronnelle
160 ml (2/3 tasse) d'huile de tournesol

Nouilles sautées au porc

muu pad ba mii

Pour éviter que les ingrédients ne s'amalgament, je secoue vivement le wok pendant la cuisson. Celle-ci doit toujours être rapide : même si nous sommes nombreux, je préfère ne faire cuire que de petites quantités à la fois.

Préparation : 20 minutes
Cuisson : 8 minutes
Pour 2 personnes

120 g (4 oz) de nouilles aux œufs
200 g (7 oz) de filet mignon de porc ou d'échine dégraissée
2 gousses d'ail
2 échalotes rouges
1 tige de citronnelle
1,5 cm (½ po) de gingembre frais
1 petit piment (ou plus, selon le goût)
2 c. à soupe de sauce de poisson (nuoc-mâm)
1 c. à café (1 c. à thé) de sauce soja
1 c. à soupe de jus de citron vert
6 c. à soupe de bouillon de volaille frais ou préparé avec du concentré
60 g (2 oz) de germes de soja
2 c. à soupe d'huile de tournesol
sel

Préparez les ingrédients : épluchez et hachez finement l'ail, le gingembre, les échalotes et le piment. Supprimez le vert de la tige de citronnelle, puis émincez le blanc. Coupez le porc en lamelles ou en dés de 1,5 cm (½ po) de côté.

- Faites cuire les nouilles 3 minutes à l'eau bouillante salée. Égouttez-les.
- Versez l'huile dans un wok placé à feu vif. Quand elle commence à fumer, faites-y revenir le porc pendant 2 minutes, en remuant souvent. Égouttez et réservez.
- Laissez le wok sur le feu et faites-y revenir l'ail, le gingembre, la citronnelle, les échalotes et le piment pendant 1 minute. Ajoutez les nouilles et faites sauter encore 1 minute.
- Remettez la viande dans le wok, ajoutez le jus de citron vert, la sauce de poisson, la sauce soja et le bouillon. Faites cuire 2 minutes.
- Ajoutez le soja et laissez cuire encore 1 à 2 minutes.

En Thaïlande, nous nous servons des feuilles étroites du pandanus pour faire des papillotes dans lesquelles nous cuisons le poulet, le poisson ou les légumes. Mais j'aime surtout la saveur délicate de leur jus avec lequel on fait de délicieux desserts.

Poulet en feuilles de pandanus

kai hor bai theoy

Préparation : 45 minutes Marinade : 12 heures Cuisson : 5 minutes Pour 4 personnes

4 cuisses de poulet
environ 20 feuilles de pandanus (bay theoy, dans les épiceries asiatiques)
3 gousses d'ail
1 tige de coriandre avec la racine
2 c. à soupe de sauce soja
2 c. à soupe de sauce aux huîtres
1 c. à café de sucre en poudre
1 c. à soupe de sauce de poisson (nuoc-mâm)
1 c. à café (1 c. à thé) d'huile de sésame
huile de friture

Pour la sauce

6 c. à soupe de vinaigre de riz
2 c. à soupe de sauce soja
1 petit piment
1 c. à soupe de graines de sésame
1 c. à soupe de sucre en poudre

• Retirez la peau et désossez les cuisses de poulet. Coupez-les en grosses bouchées (4 à 6 morceaux par cuisse). Mettez-les dans un plat creux.

• Pelez les gousses d'ail et coupez-les grossièrement. Rincez la coriandre et grattez la racine.

• Réunissez la coriandre, l'ail, la sauce soja, la sauce de poisson, l'huile de sésame, la sauce aux huîtres et le sucre dans le bol d'un robot ; mixez jusqu'à l'obtention d'un mélange bien lisse. Versez sur le poulet, retournez les morceaux pour bien les enrober de marinade, couvrez et mettez au réfrigérateur. Laissez mariner toute une nuit.

• Le lendemain, rincez et séchez soigneusement les feuilles de pandanus et coupez-les en tronçons de 12 à 15 cm (5 à 6 po) de long. Sortez le poulet du réfrigérateur. Enroulez chaque bouchée dans un morceau de feuille de pandanus, puis tournez-le d'un quart de tour et enroulez un second morceau de feuille autour du premier. Attachez les petits paquets ainsi obtenus avec du raphia.

• Préparez la sauce. Faites dorer légèrement les graines de sésame à sec dans une poêle antiadhésive. Épépinez et hachez très finement le piment. Mélangez-les dans un bol, en fouettant, aux autres ingrédients de la sauce.

• Faites chauffer l'huile de friture à 180 °C (350 °F) dans un wok ou une sauteuse. Plongez-y les paquets par petites quantités et faites-les cuire 4 à 5 minutes. Sortez-les au fur et à mesure à l'aide d'une écumoire, égouttez-les sur du papier absorbant et servez aussitôt, avec la sauce à part.

En Thaïlande, nos caris sont toujours accompagnés d'un bol de riz blanc. Nous l'arrosons de la sauce douce et crémeuse que donne le lait de coco en mijotant et mangeons la viande en même temps.

Crevettes au cari rouge

gaeng ped gung

Préparation : 20 minutes Cuisson : 8 à 10 minutes Pour 4 personnes

600 g (1 ¼ lb) de crevettes crues
625 ml (2 ½ tasses) de lait de coco
3 c. à soupe de pâte de cari rouge
3 feuilles de limettier kaffir
2 échalotes rouges
3 gousses d'ail
1,5 cm (½ po) de gingembre frais
1 ou 2 petits piments (selon le goût)
4 c. à soupe de bouillon de volaille frais ou préparé avec du concentré
1 c. à café (1 c. à thé) de sucre de palme
1 c. à soupe d'huile de tournesol
1 c. à soupe de sauce de poisson (nuoc-mâm)

- Retirez les têtes des crevettes, décortiquez les queues en conservant l'éventail de l'extrémité, ôtez la veine noire dorsale, puis rincez-les et séchez-les. Ciselez les feuilles de limettier. Épépinez les piments et émincez-les.
- Pelez et hachez grossièrement l'ail, les échalotes et le gingembre. Écrasez-les au pilon ou mixez-les pour obtenir une pâte épaisse.
- Versez l'huile dans un wok à feu vif. Quand elle commence à fumer, faites-y revenir le mélange précédent et la pâte de cari pendant 2 minutes, en remuant souvent.
- Ajoutez le lait de coco et laissez mijoter 3 ou 4 minutes, jusqu'à ce que le cari dégage son arôme et que le lait de coco soit bien crémeux. Incorporez les feuilles de limettier, le piment, le sucre, le bouillon de volaille et la sauce de poisson, mélangez bien.
- Ajoutez les crevettes et faites-les cuire 3 à 4 minutes selon leur taille, en remuant souvent. Servez aussitôt.

Omelette au porc haché

kai jiew muu sub

Préparation : 20 minutes Cuisson : 4 à 5 minutes Pour 4 personnes

4 œufs
200 g (7 oz) de porc haché
1 oignon
1 gousse d'ail
1 petite racine de coriandre
2 c. à soupe de feuilles de coriandre ciselées
1 c. à soupe de sauce de poisson (nuoc-mâm)
1 c. à soupe d'huile de tournesol

- Pelez et hachez finement l'oignon et l'ail. Grattez et lavez la racine de coriandre. Pilez-les ou mixez-les ensemble pour obtenir une pâte épaisse.
- Cassez les œufs dans un bol et battez-les en omelette. Ajoutez le porc, la sauce de poisson, la pâte à l'ail et la moitié de la coriandre ciselée ; mélangez pour bien homogénéiser l'ensemble.
- Faites chauffer l'huile dans une grande poêle à feu vif. Versez-y la préparation en inclinant la poêle dans tous les sens pour bien étaler le mélange ; laissez cuire 1 ou 2 minutes, jusqu'à ce que les bords prennent.
- Soulevez le bord de l'omelette avec une spatule pour faire glisser les œufs encore crus au fond de la poêle. Répétez plusieurs fois l'opération sur le pourtour de l'omelette. Glissez-la sur un plat chaud et parsemez le reste de la coriandre.

Je complète cette omelette d'un bol de riz et de légumes en salade. Si nous sommes très nombreux, je fais cuire plusieurs petites omelettes que je retourne en les faisant sauter comme des crêpes.

C'est un des plats préférés des enfants, qui adorent l'aigre-doux et dont l'ananas est sans doute le fruit favori. Souvent, juste avant de servir, je parsème le plat de 2 cuillerées à soupe d'arachides ou de noix de cajou légèrement grillées à sec et pilées.

Riz à l'ananas

kao pat sapparot

Préparation : 15 minutes Cuisson : 8 minutes Pour 4 personnes

150 g (5 oz) de riz jasmin, cuit à la vapeur (soit environ 600 g/1 ¼ lb)
12 queues de crevettes crues moyennes, décortiquées
4 tranches d'ananas frais
4 gousses d'ail
1 oignon
4 c. à café (4 c. à thé) de cari en poudre
4 c. à soupe de sauce soja légère
1 c. à soupe de sucre en poudre
2 c. à soupe de ciboule hachée
4 c. à soupe de feuilles de coriandre ciselées
4 c. à soupe d'huile de tournesol
sel

• Pelez et hachez très finement l'ail et l'oignon. Coupez l'ananas en dés.

• Versez l'huile dans un grand wok à feu vif. Quand elle est bien chaude, faites-y revenir l'ail avec du sel, jusqu'à ce qu'il dégage son arôme et commence à dorer. Ajoutez l'oignon et la poudre de cari, remuez bien. Lorsque le mélange est bien parfumé, ajoutez les crevettes et faites-les cuire environ 3 minutes, en secouant souvent le wok.

• Ajoutez le riz cuit et l'ananas, le sucre et la sauce soja ; mélangez bien et maintenez à feu doux 3 ou 4 minutes, sans cesser de remuer, pour bien réchauffer l'ensemble.

• Servez dans un plat très chaud, parsemé de coriandre ciselée et de ciboule hachée.

Nous faisons beaucoup de cuissons à la vapeur ; ce procédé, très sain et ne nécessitant aucun corps gras, préserve non seulement la saveur des aliments, mais aussi leurs vitamines. Il est particulièrement conseillé pour la cuisson de la chair délicate du poisson.

Poisson au lait de coco

pla tom gathi

Préparation : 15 minutes Cuisson : 15 à 20 minutes Pour 4 personnes

1 poisson blanc de 1 kg (2 lb) (bar, daurade), vidé et écaillé, ou 600 g (1 ¼ lb) de filets
4 feuilles de limettier kaffir
2 gousses d'ail
1,5 cm (½ po) de gingembre frais
2 tiges de citronnelle
2 échalotes
375 ml (1 ½ tasse) de lait de coco
2 c. à soupe de sauce de poisson (nuoc-mâm)
2 c. à soupe de jus de citron vert
1 c. à café (1 c. à thé) de sucre en poudre
quelques feuilles de coriandre pour servir

- Épluchez et hachez finement l'ail et le gingembre. Retirez les feuilles extérieures de la citronnelle et coupez le vert des tiges pour ne conserver que la partie blanche ; fendez-les en deux dans la longueur.
- Mettez le lait de coco dans une casserole avec l'ail, la citronnelle et le gingembre, amenez à ébullition et faites cuire 30 minutes à petits frémissements. Filtrez le mélange pour ne conserver que le lait de coco parfumé. Ajoutez la sauce de poisson et le jus de citron vert.
- Pelez les échalotes, puis émincez-les finement en rondelles. Rincez le poisson à l'eau fraîche, puis épongez-le soigneusement avec du papier absorbant. Étalez les rondelles d'échalote dans un plat creux supportant la chaleur, posez le poisson dessus, puis nappez-le du lait de coco chaud.
- Placez le plat dans le panier d'un cuit-vapeur, au-dessus de l'eau bouillante, couvrez et faites cuire 15 à 20 minutes selon l'épaisseur du poisson. Servez chaud, parsemé de coriandre ciselée.

Crevettes frites

gung tod

C'est l'équilibre des ingrédients de la marinade qui donne leur saveur délicate à ces crevettes. Je peux les doser selon le goût de chacun et surtout mettre moins de piment pour ceux qui n'en ont pas l'habitude !

Préparation : 30 minutes
Marinade : 6 heures
Cuisson : 2 ou 3 minutes par tournée
Pour 4 personnes

600 g (1 ¼ lb) de grosses crevettes crues
2 échalotes rouges
3 gousses d'ail
1 ou 2 petits piments (selon le goût)
2 tiges de coriandre avec la racine
1,5 cm (½ po) de gingembre frais
2 c. à soupe de jus de citron vert
2 c. à soupe de sauce de poisson (nuoc-mâm)
farine
huile de friture

- Retirez les têtes des crevettes, décortiquez les queues en conservant l'éventail de l'extrémité, ôtez la veine noire dorsale, puis rincez-les et séchez-les. Mettez-les dans un plat creux.
- Pelez et émincez grossièrement les échalotes, l'ail et le gingembre. Épépinez les piments. Rincez la coriandre et grattez les racines. Réunissez tous ces ingrédients dans le bol d'un mixeur, ajoutez le jus de citron vert, la sauce de poisson et 1 ou 2 cuillerées à soupe d'eau, puis mixez pour obtenir une pâte épaisse mais coulante.
- Versez la marinade sur les crevettes et remuez pour bien les en enrober. Couvrez d'un film transparent, mettez au réfrigérateur et laissez mariner pendant au moins 6 heures.
- Faites chauffer l'huile de friture dans un grand wok et recouvrez une grande assiette de farine.
- Sortez les crevettes de la marinade en les égouttant bien, épongez-les soigneusement avec du papier absorbant, puis passez-les l'une après l'autre dans la farine ; tapotez pour faire tomber l'excédent. Plongez-les dans l'huile bouillante et faites-les frire environ 3 minutes, jusqu'à ce qu'elles soient dorées et croustillantes. Retirez-les au fur et à mesure à l'aide d'une écumoire et égouttez-les sur du papier absorbant. Servez aussitôt.

J'aime beaucoup que Miou reste à côté de moi quand je cuisine : il me semble qu'elle aimera cela, et, d'ailleurs, elle commence à vouloir m'aider. Je lui ai déjà montré comment remplir toute seule les petits calmars.

Petits calmars farcis

pla mhouk sor sai

Préparation : 40 minutes Cuisson : 20 minutes Pour 4 personnes

16 petits calmars nettoyés
300 g (10 oz) de porc haché
2 c. à soupe de sauce de poisson (nuoc-mâm)
2 gousses d'ail
1,5 cm (½ po) de gingembre frais
1 racine de coriandre
1 c. à soupe de coriandre ciselée
1 œuf
2 c. à soupe de chapelure
huile de friture
sauce aux piments pour accompagner

- Rincez les calmars à l'eau fraîche, puis épongez-les avec du papier absorbant.
- Pelez et hachez grossièrement l'ail et le gingembre. Grattez et lavez la racine de coriandre. Pilez ou mixez ensemble ces ingrédients pour obtenir une pâte épaisse.
- Réunissez le porc, la pâte à l'ail, la coriandre et la sauce de poisson dans un bol ; mélangez pour obtenir une farce homogène. Remplissez les poches des calmars de cette farce et fermez-les avec de petites piques en bois.
- Rangez les calmars dans le panier d'un cuit-vapeur, posez celui-ci au-dessus de l'eau bouillante, couvrez et faites cuire 15 minutes. Laissez refroidir et retirez les piques en bois.
- Au dernier moment, battez l'œuf dans une assiette et versez la chapelure dans une autre. Faites chauffer l'huile de friture dans un grand wok.
- Passez les calmars successivement dans l'œuf et dans la chapelure, puis faites-les frire 3 à 4 minutes, en les retournant deux ou trois fois, jusqu'à ce qu'ils soient dorés et croustillants. Égouttez-les sur du papier absorbant et servez aussitôt avec de la sauce aux piments.

Pour ce plat où il en faut beaucoup, je n'utilise que de très jeunes racines de gingembre. Elles sont juteuses et charnues, et leur goût est beaucoup plus doux que celui des racines mûres, plus sèches et fibreuses.

Poulet au gingembre

kai pad thing

Préparation : 15 minutes Cuisson : 5 à 6 minutes Pour 4 personnes

300 g (10 oz) de blancs de poulet, sans peau
10 g (1/3 oz) de champignons noirs séchés
30 g (1 oz) de gingembre frais
1 petit oignon jaune
4 oignons nouveaux
3 gousses d'ail
1 c. à soupe de sauce soja
1 c. à soupe de sauce de poisson (nuoc-mâm)
1 c. à soupe de vinaigre de riz
2 c. à café (2 c. à thé) de sucre en poudre
2 c. à soupe de coriandre ciselée
1 c. à soupe d'huile de tournesol
sel

- Pelez le gingembre et taillez-le en fins bâtonnets. Faites-le tremper une quinzaine de minutes dans un grand bol d'eau légèrement salée, puis égouttez-le et pressez-le bien entre vos doigts : il sera ainsi moins piquant.
- Mettez les champignons à tremper une quinzaine de minutes dans de l'eau très chaude. Égouttez-les, supprimez leurs parties dures et recoupez-les en morceaux.
- Épluchez et hachez finement l'oignon jaune et l'ail. Pelez et émincez les oignons nouveaux. Coupez le poulet en lamelles.
- Versez l'huile dans un wok à feu doux. Quand elle est bien chaude, faites-y blondir l'oignon jaune et l'ail quelques instants, puis augmentez le feu, ajoutez le poulet et le gingembre, et faites revenir l'ensemble 2 ou 3 minutes, sans cesser de remuer.
- Dès que le poulet commence à dorer, versez la sauce soja, la sauce de poisson et le vinaigre, saupoudrez le sucre, ajoutez les champignons et mélangez bien. Amenez à ébullition, couvrez et laissez mijoter 3 minutes tout doucement.
- Au dernier moment, ajoutez les oignons nouveaux et la coriandre, remuez bien et servez sans attendre.

Soupe de riz aux calmars et à l'œuf

kao tom

Nous faisons tout notre repas avec un grand bol de cette soupe. Je remplace parfois les calmars par des boulettes de porc haché, des crevettes ou du poulet, et l'œuf par des feuilles de chou chinois coupées en fines lanières. S'il me reste un peu de riz déjà cuit, je le mets directement dans le bouillon : la soupe est alors très vite prête.

Préparation : 20 minutes
Cuisson : 20 minutes
Pour 4 personnes

300 g (10 oz) de calmars nettoyés
120 g (½ tasse) de riz jasmin
1,5 l (6 tasses) de bouillon de volaille frais ou préparé avec du concentré
4 gousses d'ail
2 racines ou 2 tiges de coriandre
3 c. à soupe de sauce de poisson (nuoc-mâm)
1 c. à soupe de sauce soja
2 c. à soupe de feuilles de coriandre ciselées
1 ou 2 petits piments (selon le goût)
3 oignons nouveaux
1 œuf battu
1 c. à soupe d'huile d'arachide
poivre du moulin

- Pelez les gousses d'ail. Grattez et rincez les racines de coriandre. Écrasez ensemble ces ingrédients au pilon et au mortier ou mixez-les pour obtenir une pâte épaisse.
- Rincez le riz dans une passoire jusqu'à ce que l'eau s'écoule parfaitement claire. Épluchez les oignons nouveaux. Émincez-les, ainsi que les piments, en fines lamelles.
- Dans un wok ou une casserole, faites revenir la pâte d'ail 1 minute avec l'huile, jusqu'à ce qu'elle commence à dorer. Versez le bouillon, la sauce de poisson et la sauce soja, amenez à ébullition et faites cuire 5 minutes à feu doux.
- Versez le riz dans le bouillon, remuez bien et laissez mijoter 10 minutes à petits frémissements.
- Ajoutez les calmars et faites cuire environ 2 minutes. Incorporez l'œuf battu, sans cesser de remuer, et poursuivez la cuisson pendant encore 1 minute.
- Émincez les oignons nouveaux et les piments épépinés.
- Transvasez la préparation dans une soupière ou de grands bols, parsemez les oignons, les piments et la coriandre, servez aussitôt.

La préparation de ces petits raviolis demande un peu de temps, mais ils font partie intégrante de notre tradition gastronomique, et le résultat en vaut la peine. Quand nous nous réunissons en famille, je les confectionne à l'avance, je les fais frire à la demande et je les sers avec quantité d'autres petits hors-d'œuvre.

Raviolis frits

kiew grob thai

Préparation : 45 minutes Cuisson : 3 à 4 minutes par tournée Pour 6 personnes

1 paquet de pâte à raviolis chinois (wonton)
200 g (7 oz) de queues de crevettes crues décortiquées
200 g (7 oz) de porc haché
4 gousses d'ail
1,5 cm (½ po) de gingembre frais
4 oignons nouveaux
1 tige de coriandre avec la racine
2 c. à soupe de sauce de poisson (nuoc-mâm)
1 c. à café (1 c. à thé) de sucre en poudre
1 c. à café (1 c. à thé) de sel
½ c. à café (½ c. à thé) de poivre noir fraîchement moulu
huile de friture
sauce de piment doux, sauce aigre-douce ou sauce aux prunes pour servir

• Pelez et hachez finement les petits oignons, le gingembre et l'ail. Rincez la coriandre, grattez la racine. Écrasez ces ingrédients ensemble au pilon ou mixez-les pour obtenir une pâte épaisse.

• Hachez les queues de crevettes au couteau. Mettez-les dans un bol avec la pâte d'ail et d'oignon, le porc haché, la sauce de poisson, le sel, le poivre et le sucre. Mélangez jusqu'à ce que cette farce soit bien homogène.

• Étalez une feuille de pâte sur le plan de travail, posez 1 cuillerée à café (à thé) de farce au centre, humidifiez le tour avec un pinceau trempé dans de l'eau, puis remontez le bord pour former une petite aumônière. Pincez l'ouverture en appuyant fortement pour fermer le petit sac. Renouvelez l'opération jusqu'à épuisement de la pâte et de la farce.

• Faites chauffer l'huile de friture à 180 °C (350 °F) dans un grand wok ou une sauteuse. Plongez-y les raviolis par petites quantités et faites-les frire environ 3 minutes, jusqu'à ce qu'ils soient bien dorés. Sortez-les au fur et à mesure à l'aide d'une écumoire, égouttez-les sur du papier absorbant et servez aussitôt, en proposant diverses sauces dans de petites coupelles.

Si je n'ai pas de jus de tamarin, je le remplace par un peu de pulpe séchée que je délaye dans de l'eau bouillante ; je filtre ensuite ce liquide pour retirer les fibres et les graines. J'aime particulièrement la saveur acidulée du tamarin, légèrement citronnée, avec le poisson.

Poisson frit au tamarin

pla tod

Préparation : 15 minutes Cuisson : 8 à 12 minutes Pour 4 personnes

1 poisson blanc entier (bar, daurade) d'environ 1 kg (2 lb), vidé et écaillé
4 oignons nouveaux
3 gousses d'ail
1,5 cm (½ po) de gingembre frais
6 c. à soupe de jus de tamarin
6 c. à soupe d'huile de tournesol
3 c. à soupe de sauce soja
2 c. à soupe de sauce de poisson (nuoc-mâm)
2 c. à soupe de sucre de palme ou de sucre brun
2 c. à soupe de coriandre ciselée
1 ou 2 petits piments (selon le goût)
sel

- Rincez le poisson à l'eau fraîche, puis séchez-le avec soin. Coupez les nageoires et la queue. Frottez l'intérieur avec un peu de sel.
- Pelez et hachez finement l'ail et le gingembre. Épluchez les petits oignons, coupez-les en deux. Émincez finement les piments.
- Versez l'huile dans un wok (ou une grande poêle) à feu assez vif. Quand elle est bien chaude, faites-y frire le poisson pendant 6 à 12 minutes selon son épaisseur, en le retournant à mi-cuisson. Sortez-le délicatement, posez-le sur un plat chaud, couvrez-le d'aluminium et gardez-le au chaud (dans le four entrouvert ou en posant le plat sur une casserole d'eau bouillante).
- Gardez 1 cuillerée à soupe d'huile dans le wok, baissez le feu et faites revenir l'ail avec le piment, jusqu'à ce qu'il soit légèrement doré. Ajoutez la sauce soja, le jus de tamarin, la sauce de poisson et le sucre, puis amenez à ébullition en remuant. Incorporez le gingembre et les petits oignons, laissez cuire encore 1 minute.
- Nappez le poisson de cette sauce, parsemez la coriandre et servez sans attendre.

Mes enfants et petits-enfants raffolent de ces petites boulettes croustillantes, moelleuses à cœur. Je suis toujours sûre de leur faire plaisir en leur en préparant : c'est bien sûr un peu long, mais j'ai plus de temps pour les gâter, maintenant.

Boulettes de porc aux fils d'or

muu sarong

Préparation : 1 heure Cuisson : 3 ou 4 minutes Pour 4 personnes

100 g (3 ½ oz) de nouilles fines aux œufs
500 g (1 lb) de porc haché
4 gousses d'ail
2 brins de coriandre avec la racine
1 tige de citronnelle
1,5 cm (½ po) de gingembre frais
1 c. à soupe de pâte de cari
1 c. à soupe de sauce de poisson (nuoc-mâm)
huile de friture
sel

- Faites cuire les nouilles 3 ou 4 minutes à l'eau bouillante salée, égouttez-les et plongez-les aussitôt dans un récipient rempli d'eau froide. Laissez-les tremper 2 minutes, puis égouttez-les à nouveau. Étalez-les sur un grand plat ou un plateau.
- Pelez et émincez grossièrement l'ail et le gingembre. Supprimez le vert de la citronnelle. Rincez la coriandre et grattez la racine. Réunissez tous ces ingrédients dans le bol d'un robot et mixez-les pour obtenir une pâte épaisse.
- Dans un bol, mélangez le porc haché, la pâte de cari, la sauce de poisson et la préparation précédente. Malaxez jusqu'à ce que l'ensemble soit bien homogène.
- Humidifiez vos mains et formez des boulettes de farce d'environ 1,5 cm (½ po) de diamètre. Enroulez trois nouilles autour de chacune d'elles, comme pour faire des petites pelotes.
- Faites chauffer l'huile de friture dans un grand wok. Quand elle commence à fumer, plongez-y les boulettes par petites quantités et faites-les frire 3 ou 4 minutes, jusqu'à ce qu'elles soient bien dorées. Retirez-les au fur et à mesure à l'aide d'une écumoire et égouttez-les sur du papier absorbant. Servez aussitôt.

Subine
Le grand-père

Si j'étais... une couleur,

je serais le rouge de la sauce aux piments préparée par Wan.

Si j'étais... une odeur,

je serais celle de la pâte d'ail, quand on la fait frire
et qu'elle exhale tout son arôme.

Si j'étais... une saveur,

je serais celle de la coriandre fraîche.
Sans son goût bien particulier, je ne trouve aucune salade goûteuse.

Si j'étais... un ustensile,

je serais mon petit couteau à manche de teck,
avec lequel je sculpte les fruits et les légumes.

Si j'étais... un souvenir gourmand,

je serais le premier *pad thaï* que m'a préparé Wan quand je l'ai rencontrée.
À l'époque, je ne connaissais que la cuisine de ma mère.

Si j'étais... un péché mignon,

je serais un grand plat de fruits de mer au lait de coco,
peut-être parce que nous n'en mangeons pas souvent à la campagne.

Il paraît que cette soupe est célèbre dans le monde entier. Moi, je l'ai toujours connue et je l'aime toujours autant ! Pour qu'elle soit juste acidulée comme il faut, le jus de citron vert ne doit pas bouillir ; on l'ajoute donc au dernier moment.

Soupe de crevettes à la citronnelle

tom yam gung

Préparation : 30 minutes Cuisson : 7 à 8 minutes Pour 4 personnes

12 grosses crevettes crues
2 tiges de citronnelle
1 ou 2 petits piments
3 feuilles de limettier kaffir
2 c. à soupe de sauce de poisson (nuoc-mâm)
2 c. à soupe de feuilles de coriandre ciselées
4 c. à soupe de jus de citron vert
sel

• Retirez les têtes des crevettes et réservez-les. Décortiquez les queues en conservant l'éventail de l'extrémité et retirez la veine noire du dos.

• Rincez rapidement les têtes et les carapaces de crevettes et mettez-les dans une casserole avec 1 l (4 tasses) d'eau et un peu de sel. Amenez à petite ébullition et laissez mijoter doucement pendant une dizaine de minutes, jusqu'à ce que le bouillon prenne une teinte rouge. Filtrez à travers une passoire fine, en pressant bien les têtes des crevettes pour récupérer tous les sucs. Versez le liquide obtenu dans une casserole propre.

• Supprimez le vert des tiges de citronnelle pour ne conserver que le blanc et hachez-les finement. Ciselez les feuilles de limettier. Épépinez et hachez les piments.

• Amenez le bouillon à ébullition, ajoutez la sauce de poisson, la citronnelle et les feuilles de limettier, laissez cuire 5 minutes à feu doux.

• Plongez les crevettes dans le bouillon et laissez mijoter 2 ou 3 minutes, le temps qu'elles changent de couleur.

• Mélangez le jus de citron vert, la coriandre ciselée et les piments hachés dans un bol, versez dans la soupe et remuez. Servez sans attendre.

Ce cari très épicé, d'influence musulmane, est typique du sud de notre pays. On peut le compléter avec des aubergines ou des pommes de terre, coupées en cubes, ajoutées 30 minutes avant la fin de la cuisson.

Cari de bœuf massaman

gaeng masaman

Préparation : 15 minutes Cuisson : 2 h 45 Pour 4 personnes

600 à 700 g (1 ¼ à 1 ½ lb) de bœuf à braiser, coupé en gros cubes
750 ml (3 tasses) de lait de coco
3 c. à soupe de pâte de cari massaman
40 g (⅓ tasse) d'arachides
2,5 cm (1 po) d'écorce de cannelle
7 gousses de cardamome
2,5 cm (1 po) de gingembre frais
4 c. à soupe de jus de tamarin
2 c. à soupe de jus de citron vert
2 c. à soupe de sucre de palme ou de sucre brun
2 c. à soupe de sauce de poisson (nuoc-mâm)

- Faites dorer à sec la cannelle, la cardamome et les arachides dans un wok, à feu doux. Pelez et hachez le gingembre.
- Versez le lait de coco dans un petit faitout, amenez à ébullition, puis ajoutez les cubes de bœuf. Faites cuire environ 2 heures, en remuant de temps en temps, à feu très doux pour éviter que le lait de coco ne tourne.
- Quand la viande est bien tendre, retirez-la du récipient. Incorporez dans le jus de cuisson la pâte de cari, les arachides, la cannelle et la cardamome torréfiées, le gingembre, le sucre, la sauce de poisson, le jus de tamarin et le jus de citron vert, mélangez bien et laissez mijoter doucement une quinzaine de minutes.
- Remettez la viande dans le faitout et poursuivez la cuisson à feu doux pendant encore 30 minutes, pour qu'elle s'imprègne bien des parfums.

Poisson au gingembre

pla prio wan

Dans ce plat, j'aime bien remplacer le gingembre frais par du gingembre rose. Mariné dans du vinaigre de riz, avec du sucre et du sel, il conserve son piquant, mais je trouve qu'il donne de la fraîcheur à la sauce.

Préparation : 15 minutes
Trempage : 30 minutes
Cuisson : 6 à 12 minutes
Pour 4 personnes

1 poisson blanc entier (bar, daurade) d'environ 1 kg (2 lb), vidé et écaillé (ou 600 à 700 g/1 ¼ à 1 ½ lb de filets)
3 gousses d'ail
60 ml (¼ tasse) d'huile de tournesol
sel

Pour la sauce
8 champignons séchés
4 petits oignons nouveaux
10 cm (4 po) de gingembre
6 c. à soupe de vinaigre de riz
2 c. à soupe de sauce soja
2 c. à soupe de sauce aux huîtres
2 c. à soupe de sucre

- Faites tremper les champignons pendant 30 minutes dans un bol d'eau bouillante.
- Rincez le poisson à l'eau fraîche, puis séchez-le avec soin. Coupez les nageoires et la queue. Frottez l'intérieur avec un peu de sel.
- Pelez les petits oignons et hachez-les avec leur tige verte. Épluchez le gingembre et coupez-le en fines lamelles.
- Égouttez les champignons, coupez les pieds et émincez finement les têtes.
- Versez l'huile dans une grande poêle à feu assez vif. Quand elle est bien chaude, faites-y frire les gousses d'ail entières et le poisson pendant 6 à 12 minutes selon l'épaisseur de celui-ci et le degré de cuisson souhaité, en le retournant une fois. Posez le poisson sur un plat chaud, couvrez-le d'aluminium et gardez-le au chaud dans le four entrouvert ou en posant le plat sur une casserole d'eau bouillante.
- Videz l'huile de cuisson du poisson, essuyez la poêle et remettez-la sur feu plus doux. Versez tous les ingrédients de la sauce, amenez à ébullition et laissez mijoter doucement pendant 5 minutes.
- Nappez directement le poisson de cette sauce ou remettez-le quelques instants dans la poêle pour bien le réchauffer.

Ce plat traditionnel, très facile à préparer, se fait aussi avec du poulet, du porc ou du bœuf haché. On l'accompagne de riz blanc et d'un bol de sauce de poisson assaisonnée avec des petits piments finement émincés, de l'ail et du jus de citron vert.

Canard sauté aux piments et au basilic

ped pad bai horapa

Préparation : 10 minutes Cuisson : 3 à 4 minutes Pour 4 personnes

400 g (14 oz) de chair de canard (filet ou cuisse désossée)
3 gousses d'ail
2 ou 3 petits piments
2 c. à soupe de sauce soja noire
3 c. à soupe de bouillon de volaille ou d'eau
2 c. à soupe d'huile de tournesol
1 grosse pincée de sucre en poudre
1 poignée de feuilles de basilic thaï

- Pelez les gousses d'ail. Lavez et séchez les piments. Écrasez-les ensemble à l'aide d'un pilon et d'un mortier pour obtenir une pâte épaisse.
- Coupez le canard en lamelles.
- Versez l'huile dans un wok placé à feu vif. Quand elle est bien chaude, faites-y frire la pâte d'ail pendant 1 minute, sans cesser de remuer, puis ajoutez le canard et laissez-le cuire 2 ou 3 minutes selon la taille des morceaux, toujours en secouant régulièrement le wok.
- Baissez légèrement le feu, ajoutez le bouillon, le sucre et la sauce soja, laissez encore 1 minute sur le feu.
- Au dernier moment, ajoutez les feuilles de basilic, mélangez bien et servez dans de grands bols.

Pour cette salade, la viande doit être très tendre et pas trop cuite. La braise lui donne un petit goût supplémentaire, mais on peut très bien la faire revenir rapidement à la poêle.

Salade de bœuf thaï

nua yam tok

Préparation : 20 minutes Cuisson : 4 minutes Pour 4 personnes

400 g (14 oz) de rumsteck ou d'un autre morceau de bœuf tendre
2 c. à soupe de riz jasmin
2 ou 3 échalotes rouges
1 tige de citronnelle
1 ou 2 petits piments (selon le goût)
2 c. à soupe de sauce de poisson (nuoc-mâm)
3 c. à soupe de jus de citron vert
½ c. à café (½ c. à thé) de sucre en poudre
2 c. à soupe de menthe ciselée
1 ou 2 cœurs de laitue pour servir

• Allumez le gril du four ou préparez la braise du barbecue. Mettez la viande à griller 2 ou 3 minutes de chaque côté selon son épaisseur, en la conservant saignante. Laissez-la reposer une dizaine de minutes, puis émincez-la en fines lamelles.

• Faites revenir le riz à sec, dans une petite poêle à feu moyen, sans cesser de remuer, jusqu'à ce qu'il soit juste doré. Laissez-le refroidir, puis broyez-le au mixeur ou écrasez-le au pilon dans un mortier pour le réduire en poudre.

• Épluchez et émincez les échalotes. Retirez le vert de la tige de citronnelle pour ne conserver que le blanc et hachez-la finement. Épépinez et hachez les piments.

• Mélangez la sauce de poisson, le jus de citron vert et le sucre dans un bol, puis ajoutez le bœuf, le riz en poudre, les échalotes, la citronnelle, la menthe et les piments. Remuez bien.

• Disposez la salade dans des coupelles ou de petites assiettes, sur un lit de feuilles de laitue.

L'ail qui pousse en Thaïlande est très fin et plus doux que les variétés européennes : on peut en mettre beaucoup, comme dans ce plat que j'adore ! Quand il est plus fort, il faut le dégermer et le plonger 1 minute dans de l'eau bouillante avant de l'utiliser.

Poulet à l'ail

kai yang

Préparation : 15 minutes Marinade : 12 heures Cuisson : 15 à 20 minutes Pour 4 personnes

1 poulet de 1,5 kg (3 ½ lb) environ
8 gousses d'ail
1 ½ c. à café (1 ½ c. à thé) de fleur de sel
2 c. à soupe de poivre en grains
1 c. à soupe de sucre de palme
ou de sucre brun
4 tiges de coriandre fraîche
avec les racines
60 ml (¼ tasse) de jus de citron vert

- Coupez le poulet en morceaux, puis essuyez ceux-ci avec soin.
- Pelez les gousses d'ail. Grattez les racines de coriandre, rincez-les en même temps que les tiges et hachez-les sommairement au couteau.
- Réunissez l'ail, la coriandre, le sucre, le sel et le poivre dans un mortier et écrasez-les ensemble à l'aide d'un pilon pour obtenir une pâte épaisse.
- Mélangez la pâte d'ail et le jus de citron vert dans un plat creux, ajoutez les morceaux de poulet et frottez-les l'un après l'autre pour bien les en imprégner. Couvrez avec un film transparent, mettez au réfrigérateur et laissez mariner toute la nuit.
- Le lendemain, préchauffez le gril du four ou préparez la braise du barbecue. Posez les morceaux de poulet sur la grille, à une vingtaine de centimètres de la source de chaleur, et faites-les griller 15 à 20 minutes selon leur épaisseur, en les retournant souvent.
- Servez chaud, avec des tranches de tomates fraîches et du riz blanc.

Calmars frits à l'ail et au poivre

pla meuk tort gratiam prik thai

Préparation : 15 minutes Marinade : 1 heure Cuisson : 3 à 4 minutes Pour 4 personnes

400 g (14 oz) de calmars
2 têtes d'ail
1 c. à soupe de grains de poivre blanc
3 racines de coriandre ciselée
2 c. à soupe de sauce de poisson (nuoc-mâm)
1 grosse pincée de sucre en poudre
1 c. à soupe de feuilles de coriandre ciselées
60 ml (¼ tasse) d'huile de friture
sauce aux piments pour servir

• Lavez soigneusement les calmars et coupez-les en morceaux. Avec un couteau parfaitement aiguisé, incisez-les superficiellement en les quadrillant. Plongez-les 1 minute dans une grande casserole d'eau bouillante, égouttez-les bien, puis faites-les mariner pendant 1 heure avec le sucre et la sauce de poisson.

• Grattez et lavez les racines de coriandre. Séparez les gousses d'ail sans les éplucher et retirez la base dure des têtes. À l'aide d'un pilon et d'un mortier, écrasez les gousses d'ail, les racines de coriandre et les grains de poivre pour obtenir une pâte épaisse. Éliminez les peaux d'ail.

• Versez l'huile dans un wok à feu vif. Quand elle est bien chaude, plongez-y la pâte d'ail au poivre et les calmars et faites-les frire ensemble pendant environ 2 minutes, en remuant régulièrement. Retirez la pâte d'ail un peu avant si elle colore trop, puis sortez les calmars à l'aide d'une écumoire en les égouttant bien. Mettez le tout dans un plat chaud et parsemez de feuilles de coriandre avant de servir avec de la sauce aux piments.

Ce plat n'est vraiment pas long à préparer, puisqu'il n'est même pas nécessaire d'éplucher les gousses d'ail. Quand on écrase celles-ci, les peaux les plus épaisses se séparent spontanément de la pulpe, et il n'y a plus qu'à retirer les petites peaux qui restent.

Wan prépare elle-même la pâte de cari rouge. Elle écrase de petits piments rouges séchés avec une quantité d'autres ingrédients : du poivre, de la coriandre, du curcuma, de la citronnelle, du galanga, de l'ail, du cumin... et j'en oublie certainement !

Poulet au cari rouge

gaeng ped kai

Préparation : 15 minutes Cuisson : 25 minutes Pour 4 personnes

400 g (14 oz) de chair de poulet sans peau
300 g (10 oz) d'aubergines thaï ou 1 aubergine moyenne coupée en tranches
3 c. à soupe de pâte de cari rouge
175 ml (3/4 tasse) de lait de coco
175 ml (3/4 tasse) de bouillon de volaille
4 feuilles de limettier kaffir
5 cm (2 po) de gingembre
1 petit piment
2 c. à soupe de sauce de poisson (nuoc-mâm)
1 c. à soupe de sucre de palme ou de sucre brun
3 c. à soupe de feuilles de basilic thaï ciselées

- Coupez le poulet en lamelles épaisses. Pelez et hachez finement le gingembre. Ciselez les feuilles de limettier. Lavez et émincez le piment.
- Faites chauffer le lait de coco dans un wok à feu moyen, puis incorporez la pâte de cari rouge et laissez cuire environ 2 minutes.
- Ajoutez le gingembre, la sauce de poisson, le bouillon, les feuilles de limettier, le piment, le sucre puis les aubergines dans cette sauce, laissez mijoter une quinzaine de minutes.
- Ajoutez le poulet et poursuivez la cuisson à feu doux pendant 5 à 10 minutes, jusqu'à ce qu'il soit cuit.
- Au dernier moment, incorporez les feuilles de basilic, remuez et servez.

Index des recettes

Carnet d'adresses

Montréal :

• **Eden, La Cité**
3575, avenue Du Parc
Montréal
(514) 843-4443

• **Épicerie Kien Vinh**
1062-1066, boulevard Saint-Laurent
Montréal
(514) 393-1030

• **Épicerie Thien-Phat**
1084, boulevard Saint-Laurent
Montréal
(514) 875-7929

• **Fruiterie Muscat**
5000, rue Saint-Denis
Montréal
(514) 284-6377

• **Heng Heng**
1071, boulevard Saint-Laurent
Montréal
(514) 861-4550

• **Hiep Phat**
2779, rue Ontario Est
Montréal
(514) 526-8769

• **Kien Xuong**
1076, boulevard Saint-Laurent
Montréal
(514) 866-0941

• **La Dépense**
Marché Jean-Talon
7070, avenue Henri-Julien
Montréal
(514) 273-1118

• **Marché Kim Hour**
4777, avenue van Horne
Montréal
(514) 731-5203

• **Marché Kim Hour**
7734, boulevard Saint-Michel
Montréal
(514) 725-7113

• **Marché Kim Phat**
3588, rue Goyer
Montréal
(514) 737-2383

• **Marché Kim Phat**
3733, rue Jarrry Est
Montréal
(514) 727-8919

• **Marché Oriental**
7101, rue Saint-Denis
Montréal
(514) 271-7878

• **Marché Ying**
6655, rue Darlington
Montréal
(514) 738-8282

• **Tan Nam**
1090, boulevard Saint-Laurent
Montréal
(514) 876-1139

• **Thai Hour**
7130, rue Saint-Denis
Montréal
(514) 271-4469

• **Young**
1345, avenue Van Horne
Montréal
(514) 271-8151

Ailleurs au Québec :

• **Aliments Toyo**
3400, chemin Quatre-Bourgeoys
Québec
(418) 657-8838

• **Boutique Orient**
2293, rue King Ouest
Sherbrooke
(819) 823-1312

• **Délices des Nations**
3, boulevard Montcalm
Candiac
(450) 444-1107

• **Délices des Nations**
185, rue Belvédère Nord
Sherbrooke
(819) 822-0184

• **Épicerie Asie**
492, rue Galt Ouest
Sherbrooke
(819) 346-6181

• **Épices international**
1555, rue Pelletier
Brossard
(450) 465-0499

• **La Montagne Dorée**
652, rue Saint-Ignace
Québec
(418) 649-7575

• **Lao Indochine**
538, avenue des Oblats
Québec
(418) 524-3955

• **Les Fruitières Vittoria**
7800, boulevard Taschereau
Brossard
(450) 671-5951

• **Marché Hawaï**
1999, boulevard Marcel-Laurin
Ville Saint-Laurent
(514) 856-0226

• **Marché Kim Hoa**
4843, boulevard des Sources
Pierrefonds
(514) 683-8878

• **Marché Kim Phat**
8080, boulevard Taschereau
Brossard
(450) 923-9973

• **Marché Kim Phat**
1875, rue Panama
Brossard
(450) 923-9877

L'éditeur remercie vivement la famille Phongphang pour sa participation à ce projet. Natacha Arnoult, styliste, tient à remercier La Sensitive pour sa vaisselle délicate et son chanvre teint (La Sensitive, 31 rue Faidherbe, 75011 Paris).

Catalogage avant publication de Bibliothèque et Archives nationales du Québec et Bibliothèque et Archives Canada

Thaï, Sirikit

La cuisine thaïlandaise

(Cuisine des 7 familles)

1. Cuisine thaïlandaise. I. Titre. II. Collection.

TX724.5.T5T42 2007 641.59593 C2007-940658-0

Pour en savoir davantage sur nos publications, visitez notre site : **www.edhomme.com**
Autres sites à visiter : www.edjour.com
www.edtypo.com • www.edvlb.com
www.edhexagone.com • www.edutilis.com

03-07

Dépôt légal : 2007
Imprimé en Espagne pa Gráficas Estella
Bibliothèque et Archives nationales du Québec

ISBN : 978-2-7619-2411-5

DISTRIBUTEURS EXCLUSIFS :

- Pour le Canada et les États-Unis :
  MESSAGERIES ADP*
  2315, rue de la Province
  Longueuil, Québec J4G 1G4
  Tél. : (450) 640-1237
  Télécopieur : (450) 674-6237
  * une division du Groupe Sogides inc.,
  filiale du Groupe Livre Quebecor Média inc.

- Pour la France et les autres pays :
  INTERFORUM editis
  Immeuble Paryseine, 3, Allée de la Seine
  94854 Ivry CEDEX
  Tél. : 33 (0) 4 49 59 11 56/91
  Télécopieur : 33 (0) 1 49 59 11 33
  Service commandes France Métropolitaine
  Tél. : 33 (0) 2 38 32 71 00
  Télécopieur : 33 (0) 2 38 32 71 28
  Internet : www.interforum.fr
  Service commandes Export – DOM-TOM
  Télécopieur : 33 (0) 2 38 32 78 86
  Internet : www.interforum.fr
  Courriel : cdes-export@interforum.fr

- Pour la Suisse :
  INTERFORUM editis SUISSE
  Case postale 69 – CH 1701 Fribourg – Suisse
  Tél. : 41 (0) 26 460 80 60
  Télécopieur : 41 (0) 26 460 80 68
  Internet : www.interforumsuisse.ch
  Courriel : office@interforumsuisse.ch
  Distributeur : OLF S.A.
  ZI. 3, Corminboeuf
  Case postale 1061 – CH 1701 Fribourg – Suisse
  Commandes : Tél. : 41 (0) 26 467 53 33
  Télécopieur : 41 (0) 26 467 54 66
  Internet : www.olf.ch
  Courriel : information@olf.ch

- Pour la Belgique et le Luxembourg :
  INTERFORUM editis BENELUX S.A.
  Boulevard de l'Europe 117, B-1301 Wavre – Belgique
  Tél. : 32 (0) 10 42 03 20
  Télécopieur : 32 (0) 10 41 20 24
  Internet : www.interforum.be
  Courriel : info@interforum.be

Gouvernement du Québec – Programme de crédit d'impôt pour l'édition de livres – Gestion SODEC – www.sodec.gouv.qc.ca

L'Éditeur bénéficie du soutien de la Société de développement des entreprises culturelles du Québec pour son programme d'édition.

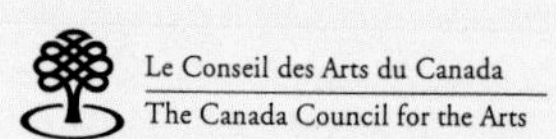

Nous remercions le Conseil des Arts du Canada de l'aide accordée à notre programme de publication.

Nous reconnaissons l'aide financière du gouvernement du Canada par l'entremise du Programme d'aide au développement de l'industrie de l'édition (PADIÉ) pour nos activités d'édition.